Claudio Galeazzi sem cortes

CLAUDIO GALEAZZI
COM JOAQUIM CASTANHEIRA

Claudio Galeazzi sem cortes

Lições de liderança e gestão de um dos maiores especialistas do Brasil em salvar empresas

2ª reimpressão

PORTFOLIO
PENGUIN

Copyright © 2019 by Claudio Galeazzi

A Portfolio-Penguin é uma divisão da Editora Schwarcz S.A.

PORTFOLIO and the pictorial representation of the javelin thrower are trademarks of Penguin Group (USA) Inc. and are used under license. PENGUIN is a trademark of Penguin Books Limited and is used under license.

Grafia atualizada segundo o Acordo Ortográfico da Língua Portuguesa de 1990, que entrou em vigor no Brasil em 2009.

FOTO DE CAPA Paola Vespa
PROJETO GRÁFICO Tamires Cordeiro
PREPARAÇÃO Alexandre Boide
REVISÃO JURÍDICA Maria Luiza de Freitas Valle Egea
REVISÃO Huendel Viana e Márcia Moura

Os dados das empresas mencionadas neste livro foram retirados de balanços públicos ou reportagens publicadas pela imprensa brasileira. Os valores citados são nominais e não foram corrigidos monetariamente.

Dados Internacionais de Catalogação na Publicação (CIP)
(Câmara Brasileira do Livro, SP, Brasil)

Galeazzi, Claudio
    Claudio Galeazzi sem cortes : lições de liderança e gestão de um dos maiores especialistas do Brasil em salvar empresas / Claudio Galeazzi com Joaquim Castanheira. — 1ª ed. — São Paulo : Portfolio-Penguin, 2019.

    ISBN 978-85-8285-085-5

    1. Administração de empresas 2. Administração de pessoal 3. Liderança 4. Líderes 5. Organizações – Administração 6. Pessoas – Gestão I. Castanheira, Joaquim II. Título.

19-23264   CDD-658.4

Índice para catálogo sistemático:
1. Liderança e gestão : Administração 658.4

Maria Alice Ferreira – Bibliotecária – CRB-8/7964

Todos os direitos desta edição reservados à
EDITORA SCHWARCZ S.A.
Rua Bandeira Paulista, 702, cj. 32
04532-002 — São Paulo — SP
Telefone: (11) 3707-3500
www.portfolio-penguin.com.br
atendimentoaoleitor@portfolio-penguin.com.br

E essa história, ah, será contada
Noutro lugar, anos e mais à frente
Duas trilhas na mata cerrada,
E eu... peguei a menos frequentada,
E tudo ficou diferente.
Robert Frost, "The Road Not Taken"
  (tradução de Caetano W. Galindo)

SUMÁRIO

Agradecimentos 9

Introdução 11

1. A formação de um especialista 17
2. BP Mineração e Cesbra 39
3. Cecrisa 54
4. Vila Romana 73
5. Mococa 87
6. Inbrac 100
7. "A Firma" 114
8. Artex 130
9. Lojas Americanas 139
10. Grupo Estado 166
11. Grupo Pão de Açúcar 179
12. Vulcabras Azaleia 207
13. BRF 214
14. BTG Pactual 226

Epílogo 235
Créditos das imagens 239

AGRADECIMENTOS

Este livro reflete as experiências de minha vida profissional, minha visão sobre os negócios e os conceitos que representam, para mim, as boas práticas de gestão empresarial.

Mas ele não teria sido possível sem o suporte e a paciência de amigos e parceiros de todos esses anos que generosamente ajudaram a rememorar fatos, localizar dados e analisar os momentos mais importantes dessa trajetória. A eles, muito obrigado.

À memória de minha mãe, Eugênia, de meu padrasto, Frederik, que me inspiram até hoje, e de minha primeira esposa, Leonor, companheira por 45 anos na construção de minha carreira e de minha família.

Este projeto, que semeei durante anos antes de colocar em prática, também não teria se realizado sem o apoio incondicional de meus filhos, Luiz Claudio, Daniela, Victor, Ricardo (Ricky) e Gustavo, e a presença estimulante de minhas netinhas, Camila, Maria Julia, Maria Eduarda, Maria Helena e Maria Antonia — e aqui vai um agradecimento em particular ao amigo Arnaldo Magnocavallo Junior pela feliz sugestão de título para este livro. A elas e a eles ofereço este trabalho como um modesto legado.

A Joaquim Castanheira, um agradecimento carinhoso e especial pela total dedicação e pelas muitas horas de trabalho em conjunto no desenvolvimento deste projeto.

E reservo as palavras finais para quem participou diretamente da elaboração desta obra, com sua atenção permanente, sua consciência crítica e, sobretudo, seu amor sem limites. A Renata, minha esposa e companheira de sempre, dedico esta obra, assim como dedico minha própria vida.

INTRODUÇÃO

Certo dia, o acionista de um dos mais tradicionais grupos empresariais do país enviou um e-mail para um dos consultores de minha equipe, cujo sobrenome tornava evidente sua origem judaica. "A única coisa útil em você é sua pele para fazer cúpula de abajur", escreveu o empresário, o que me remeteu às crueldades praticadas pelos nazistas contra judeus.

Eu liderava um projeto de *turnaround* na empresa, sufocada por dívidas que não poderiam ser pagas sem renegociação com bancos, reestruturação profunda na gestão e mudança na mentalidade da organização. Para quem não sabe, *turnaround* é um processo de recuperação de empresas em dificuldades, uma tentativa de "virar o jogo".

As três frentes problemáticas eram atacadas simultaneamente. A primeira ficava a cargo de um grupo de especialistas em reestruturação financeira comandado por Alcides Tápias — ex-ministro do Desenvolvimento no governo de Fernando Henrique Cardoso —, e as duas outras encontravam-se sob minha responsabilidade e do time da Galeazzi & Associados, escritório de consultoria fundado por mim em 1995.

Ou seja, a empresa lutava por sua sobrevivência. As medidas adotadas por nós incluíam o afastamento da família controladora do dia a dia dos negócios, incluindo o remetente do e-mail infame. Daí vinha sua reação destemperada — em que se misturavam raiva, discriminação e inconformismo com uma decisão que visava garantir o futuro do grupo. Indignado com a mensagem, refleti muito sobre o que fazer. O primeiro ímpeto foi questionar pessoalmente o acionista. No final, pedi a meu colaborador que relevasse a ofensa e seguimos em frente.

Em outra ocasião, quando eu tocava uma reestruturação no Conselho Nacional do Serviço Social da Indústria (Sesi), que implicava a demissão de dezenas de funcionários, minha mulher recebeu um telefonema anônimo informando que eu acabara de sofrer um acidente sério e tinha ferimentos graves. Mentira.

Naquele momento, eu estava trabalhando e nada havia acontecido comigo. Era uma tentativa de me intimidar. No mesmo período, recebi os mais variados tipos de ameaças, inclusive de morte. Reforcei a segurança pessoal, mudei alguns hábitos e toquei o trabalho. Jamais vacilei.

Numa outra companhia, com milhares de empregados, descobri que o dono proibia a presença de negros no quadro de funcionários. Ignorei a regra e passamos a contratar afrodescendentes, inclusive para o cargo de diretor de marketing, pois o candidato possuía o perfil ideal para o posto e a cor de sua pele não pesou na decisão.

Mais uma de minhas histórias: durante uma reunião do conselho de administração de um grande fabricante de laticínios, notei que um dos acionistas planejava gravar as conversas sorrateiramente, sem comunicar aos demais presentes. Percebi a manobra graças à luzinha vermelha que piscava quando o gravador do sujeito estava em funcionamento. O acionista tomou o cuidado de esconder o aparelho debaixo de uma pilha de papéis. Em vão.

Furioso, levantei da cadeira e comecei a contornar a mesa em direção a ele. "Você está pensando em gravar a reunião e não avisa ninguém?", perguntei. A turma do deixa-disso entrou em ação e evitou que saíssemos no braço. Mesmo assim, ele se dirigiu à delegacia da cidade e tentou registrar queixa contra mim. O delegado descartou: "Como vou fazer boletim de ocorrência se não houve agressão?".

Ganhei um opositor implacável ao meu trabalho nos dois anos seguintes, mas isso não impediu o sucesso do projeto.

Muita gente acredita que o mundo corporativo se pauta exclusivamente pela racionalidade. As coisas não são assim. A intuição e a emoção têm um papel importantíssimo na gestão de empresas, sobretudo naquilo que é minha vocação e dedicação nos últimos quarenta anos: comandar processos de transformação em empresas abatidas por crises tão profundas que ameaçam sua sobrevivência ou desafiadas pela necessidade de combater a acomodação que se instalou em suas administrações.

O processo de transformação de uma empresa requer precisão cirúrgica no diagnóstico, determinação férrea (beirando a obsessão) na execução e resistência de aço para enfrentar a oposição que o projeto vai suscitar. São dois os modelos mais comuns de transformação empresarial: *turnaround* e reestruturação. Muitos utilizam as palavras como sinônimos, mas são conceitos distintos. Entender isso pode representar a diferença entre o sucesso e o fracasso em uma empreitada.

Turnaround é um processo de transformação no qual uma empresa com resultados operacionais deficitários constantes, em estado de crise financeira, reverte a situação e volta ao lucro. Trata-se de colocar o tubo de oxigênio no paciente, retirá-lo do coma e evitar a morte iminente. A energia deve ser integralmente direcionada para esse objetivo, ignorando eventuais sequelas, como desmontar equipes (que pareciam) estratégicas ou abrir mão de produtos promissores que ainda não emplacaram. Em resumo: sacrificar o futuro para preservar o presente, de forma que a empresa possa sonhar com dias vindouros.

Reestruturação se baseia em profundas mudanças nas organizações que necessitam se adequar a uma nova realidade de mercado, buscando ganhar mais competitividade. É um processo menos imediatista, embora também exija celeridade e determinação.

Em ambos os processos, focos de oposição pipocam de vários lados e em diversos formatos, como revelam as histórias que contei aqui. Sem enfrentá-los e superá-los, o *turnaround* fracassará. Em geral, é preciso tomar medidas drásticas, incluindo o corte de funcionários, infelizmente. Por ser o momento mais traumático na vida de uma organização, a redução no quadro de pessoal chama a atenção dentro e fora da empresa. Tanto que, ao longo das duas últimas décadas, me tornei conhecido em parte por causa do grande número de demissões, o que me acarretou diversos apelidos, como Galeazzi Mãos de Tesoura. Mas a guerra contra as resistências vai muito além disso, e a recuperação da empresa não se esgota nas demissões. Elas são um meio, não um fim.

O fim é gerar valor para a empresa. Cito dois exemplos mais recentes e representativos. Quando assumi a presidência do Grupo Pão de Açúcar (GPA), cada ação da empresa valia 36 reais; quando saí, havia saltado para 66 reais. Na BRF, dona das marcas Sadia e Perdigão, o resultado foi semelhante: o valor de mercado da BRF somava 55,3 bilhões de reais em 2014, data de minha despedida da empresa, crescimento superior a 50% em relação a 2012, quando me tornei presidente.

Muita gente concentra as atenções (e críticas) nas demissões e não nos milhares de empregos que são preservados por conta delas. Os cortes de pessoal são sempre muito bem pesados e jamais lineares. É conhecida a história de que, na Segunda Guerra Mundial, os generais aliados enviaram para trás das linhas inimigas 10 mil paraquedistas, mesmo cientes de que as baixas somariam metade do contingente. Por outro lado, o sacrifício preservaria a vida de dezenas de milhares de soldados encurralados pelas forças inimigas.

Enfrentei essa situação nos projetos de *turnaround* ou reestruturação que liderei em alguns dos maiores conglomerados do país, como Pão de Açúcar, BRF, Lojas Americanas, Cecrisa, Mococa, Artex, Grupo Estado, entre outros. Em alguns deles, como presidente, em outros coordenando ou acompanhando de perto os trabalhos da Galeazzi & Associados. Ou seja, diversas vezes eu estava envolvido em projetos que se desenrolavam simultaneamente. Por isso, os períodos de alguns *cases* apresentados no livro podem ser coincidentes.

São organizações diferentes entre si, com histórias distintas, de setores diversos e com demandas específicas. Parte delas, a exemplo da Mococa e da Cecrisa, encontrava-se numa situação-limite, em concordata ou prestes a entrar no processo hoje conhecido como recuperação judicial. Outros, como Pão de Açúcar e BRF, apresentavam um quadro financeiro mais confortável, porém padeciam de um estado de acomodação que, cedo ou tarde, acabaria por prejudicar os resultados.

Em comum, todas buscavam rentabilidade, situação financeira saudável e crescimento consistente. Da mesma forma, quando as coisas começam a entrar nos eixos e os resultados melhoram, em geral os administradores das empresas se convencem de que já não precisam do apoio externo e de que "podem fazer tudo isso sozinhos". Não se atentam ao fato de que essa postura levou o negócio à decadência, embora nunca admitam responsabilidade nos erros.

John Kennedy, presidente dos Estados Unidos assassinado em 1963, dizia: "O fracasso é órfão".

Eu acrescento: "E o sucesso é um filho disputado pelos pais".

CAPÍTULO 1

A formação de um especialista

Um profissional especializado em *turnaround* e transformação de empresas precisa se sentir confortável diante do desconforto. Geralmente há pouco tempo e muita coisa a ser feita em todas as áreas da companhia. Estar num ambiente de permanente mudança e surpresas e com um amplo leque de problemas é o dia a dia desse executivo. Portanto, não se pode esperar por estabilidade, pois ela não existe em processos de recuperação administrativa.

Creio que, por isso, me dediquei com tanta satisfação a esse tipo de atividade. Mudança e diversidade são palavras que me acompanharam desde criança. Não tive uma infância marcada por dificuldades financeiras — pelo contrário, não me faltaram recursos e conforto. Mas foi uma fase de muitas viradas e aventuras, o que ajudou a moldar minha personalidade, meu caráter e, consequentemente, meu perfil profissional.

De certa forma, sou um cidadão do mundo, tamanha é a diversidade de minhas origens e de minha formação. Nasci em 1940 no Rio de Janeiro, mas fui criado em São Paulo, para onde mudei com sete anos. Para todos os efeitos, na verdade, tenho uma criação paulista.

Meu pai, Alberto, nasceu em Sassari, na região da Sardenha, Itália, embora meu avô fosse da Toscana. Depois, partiu com a família para a Argentina, onde morou por alguns anos, e a seguir veio para o Brasil. Nunca soube ao certo, mas desconfio que tantas mudanças se devam a alguma encrenca em que ele se meteu na Itália. Sua personalidade reforça a suspeita. Boêmio, gostava de mulheres e bebidas. Na Argentina, teve uma filha, chamada Vitória, que nunca conheci. Pintava quadros, mas não se tornou um artista bem-sucedido. Esse desapego eu carrego comigo. Coisa de DNA. Não me prendo a estruturas muito rígidas e não me deixo aprisionar por elas, embora as respeite. Sempre demonstrei uma inquietação muito forte, sobretudo no campo profissional. O prazo de validade que imponho para minha permanência nas empresas raramente supera dois ou três anos.

Minha mãe, Eugênia, filha de um russo e uma alemã, nasceu na Alemanha e mudou-se para o Rio de Janeiro ainda pequena. Já adulta se naturalizou brasileira. Aqui ela e Alberto se conheceram, se casaram e, quando eu tinha três anos, se separaram. A partir desse momento, os dois se afastaram completamente, e por isso jamais tive contato com meu pai novamente. Quando, já adulto, decidi procurá-lo, soube que havia morrido. Logo depois da separação de meus pais, minha avó materna enfrentou um câncer agressivo, e minha mãe, para poder cuidar dela, me enviou para um colégio interno inglês em Petrópolis, cidade serrana do Rio de Janeiro, a Mr. Armstrong School. Cheguei lá com cinco anos e, nos dois anos e meio seguintes, fiquei afastado de casa.

Carrego duas heranças desse período. Fui alfabetizado também em inglês — e me comunico nesse idioma tão bem quanto em português. O segundo aprendizado: como era o pequenininho da turma, sofria bullying (embora o termo nem existisse naquela época). Um dia me rebelei e comecei a atacar fisicamente os meninos que me provocavam. Essa passagem interferiu de forma direta na formação da minha personalidade, pois desenvolvi um estilo arrojado e agressivo.

Mas estou me referindo ao meu estilo de liderança, e não afirmando que saio por aí espancando as pessoas. No dia em que fui embora do colégio interno, minha mãe apareceu para me buscar acompanhada de um homem que eu não conhecia. Era o novo marido dela. Judeu de origem austríaca, naturalizado norte-americano e residente no Brasil havia alguns anos, Frederik L. Hirst me influenciou profundamente desde então.

Dono de uma carreira bem resolvida como executivo, ele era um lorde, sofisticadíssimo na formação e no estilo de vida. Além de inglês, falava fluentemente alemão, espanhol, francês e iídiche e gostava das boas coisas da vida, um legado que trago até hoje comigo. Meu relacionamento com Frederik era mais intenso e próximo do que com minha mãe.

O inglês foi o idioma oficial adotado em casa, o que me fez me aprimorar ainda mais na língua britânica. Aos sete anos, outra radical mudança de rota: sócio minoritário da Drew Chemical do Brasil, fabricante de produtos químicos de origem norte-americana, Frederik transferiu-se para São Paulo e, claro, levou a família. Além de sócio, ele era presidente da empresa no país.

Na ocasião, final da década de 1940, o bairro de Alto de Pinheiros, onde nos instalamos, sequer tinha ruas asfaltadas. Depois de uma passagem por uma escola americana, a Graded School, fui matriculado no Mackenzie, um tradicional colégio paulistano. Com essa formação, estudando em instituições de alto prestígio, hoje muitos imaginam que meu desempenho escolar era exemplar. Nada disso. Fui um péssimo aluno. Sempre. Dia desses, minha filha Daniela encontrou alguns documentos antigos e, entre eles, havia boletins escolares. Ela se surpreendeu: "Pai, jamais imaginei que você fosse tão ruim na escola".

Eu cansava rapidamente das aulas, mas me relacionava muito bem com os professores. Eles gostavam de mim e ficavam furiosos por considerar que eu tinha condições de ser um excelente estudante e desperdiçava esse potencial.

Em compensação, me tornei um leitor voraz. Até hoje, devoro livros em questão de horas. Anos atrás, cheguei a manter uma biblioteca em casa com mais de 2500 volumes. Li desde livros de aventura despretensiosos até a filosofia de Platão e poemas de Robert Frost, John Keats, John Milton, William Yeats, entre outros. A leitura me abria horizontes a cada momento e, aliada à minha inquietude, me transformou num autodidata com um amplo leque de interesses ao longo da vida. Fui radioamador e piloto de aviões IFR (voo por instrumentos) — hoje tenho um simulador aeronáutico em casa. Como hobby, criei peixes lebistes de várias partes do mundo (cheguei a ter cinquenta aquários) e canários, que levava para participar de concursos de canto.

Em minha juventude, havia uma coleção de livros chamada The Hardy Boys, sucesso entre a garotada nos Estados Unidos e sem tradução para o português na época. Maravilhado, eu lia em inglês a história de dois irmãos adolescentes que investigavam e resolviam casos de mistérios ao redor do mundo. Era inquieto, mas, desde cedo, não confundia arrojo com voluntarismo. As mudanças de rumo em minha vida (pessoal e profissional) sempre aconteceram de forma planejada.

Por volta dos quinze anos de idade, aborrecido por algum motivo, resolvi fugir de casa e convidei um amigo, Rodolfo Azevedo, para me acompanhar. Só que, em vez de enfiar meia dúzia de peças de roupas numa sacola e sumir, planejei cuidadosamente a fuga durante um mês. Defini o lugar onde nos esconderíamos: a Serra da Mantiqueira, na região do Vale do Paraíba, perto do sítio de um amigo, Sérgio Castelo Branco. Sairíamos de casa de táxi para a Estação da Luz, no centro de São Paulo, e de lá tomaríamos o trem rumo a Jacareí, no interior do estado, e caminharíamos até o acampamento no meio da mata da Mantiqueira. Não me perguntem por que escolhi o local. Eu não sei — só sei que sonhava com aventuras.

Nos dias anteriores à minha partida, tracei o roteiro, separei uma barraca, mapas, lanterna, cordas, facão, alimentos, cantil de água e até uma arma, que comprei numa loja de artigos para caça e pesca. O fato de ser adolescente sequer foi questionado pelo vendedor, e saí de lá com uma BRNO calibre 22. Antes de partir, escrevi uma carta para minha mãe e outra para o meu padrasto com o título "Por que fugi de casa". Com tudo pronto, liguei para um taxista e combinei a data e o horário em que ele deveria nos apanhar.

Tudo muito planejado, mas faltou o plano B. No dia marcado, o motorista não apareceu e, sem alternativa, adiei a partida. No dia seguinte, a empregada da casa encontrou as cartas e avisou meu padrasto, acabando com a aventura. Por essas e outras, e principalmente em função do desempenho escolar pouco elogiável, Frederik resolveu me enviar para os Estados Unidos. Às vésperas de completar dezessete anos, e com o diploma de segundo grau assegurado a duras penas, parti sozinho para a cidade de Flagstaff, no Arizona, já matriculado no então Arizona State College (atual Arizona State University).

Ninguém me acompanhou. Fui sozinho. Com mais autonomia, a responsabilidade também aumentaria, raciocinou Frederik. E, assim, eu encararia a vida escolar com mais seriedade. Pois continuei avesso aos estudos. Mas também não ficava parado. Aproveitei a oportunidade para viajar pelos Estados Unidos. Primeiro, para localidades ao redor de Flagstaff. Depois comecei a sair do Arizona rumo a Nevada, ao Novo México e cheguei a atravessar a fronteira do México para comer tacos e farrear por lá.

Naqueles anos, final da década de 1950, o escritor Jack Kerouac acabara de lançar *On the Road*, um livro sobre a geração "mochila nas costas, pé na estrada", formada por jovens que saíam pelo país sem rumo definido. Sem saber, eu estava totalmente integrado ao espírito daquele tempo. Meu companheiro mais frequente nessas andanças era um havaiano chamado James Dobie Thain, também aluno do Arizona State College.

Um dia estávamos pedindo carona na estrada e um carro de polícia parou ao nosso lado. Os policiais estranharam porque usávamos tênis — naquela época, esse tipo de calçado servia apenas para a prática de esportes ou para ladrões que queriam invadir casas silenciosamente.

Depois de algumas perguntas ("De onde vocês vêm?"; "Para onde vão?"; "Qual a nacionalidade de vocês?"), um deles, já mais tranquilo, nos convidou para jantar em sua casa. Aceitamos e lá conhecemos a mulher e os filhos dele, ainda pequenos. Durante a refeição, comentamos que não tínhamos muito dinheiro e acamparíamos em algum lugar durante a noite. O policial, então, sugeriu: "Se quiserem, podem dormir na cadeia".

E lá fomos nós para trás das grades, mas destrancadas. Foi a única vez, felizmente, que passei a noite (ou dia) na cadeia. De quebra, na manhã seguinte, o policial ainda garantiu café, ovos e bacon — a refeição matinal fornecida para os presos.

Na temporada nos Estados Unidos, arrumei dois empregos. No primeiro, fiquei apenas um dia. A tarefa era limpar silos (estruturas que geralmente servem para estocar produtos agrícolas). Assim que subi nas paredes daquela torre enorme, percebi que não conseguiria. Desci e fui embora sem maiores explicações. O outro emprego foi em um parque nacional. Durante o verão, com o clima muito seco, o risco de incêndios florestais aumentava. Então, eu e outros garotos subíamos em torres de observação para monitorar a mata e identificar possíveis indícios de fogo. Depois, corríamos as fazendas ao redor da cidade e ganhávamos uns trocados capinando pastos e roças. Coisa tipicamente americana e pouco comum no Brasil: grupos de jovens de classe média fazendo bicos para arrecadar uma grana.

Toda essa agitação não parecia suficiente. Um ano depois de desembarcar no Arizona, abandonei a faculdade e rumei para Nova York para trabalhar numa empresa de importação e exportação. Foi um período rápido e, seis meses mais tarde, me matriculei novamente numa faculdade, dessa vez na Universidade de Massachusetts, em Amherst, onde, segundo meus planos, cursaria *business administration*, o equivalente a administração de empresas no Brasil.

E não saiu disso, dos planos. Um ano e meio depois, desisti novamente. Para resumir a história: jamais conclui um curso superior, nem nos Estados Unidos, nem no Brasil. Não tenho diploma universitário. De volta ao país, ingressei em um curso técnico de contabilidade. Embora pouco comparecesse às aulas, passei nas provas finais e me formei. Caso perguntem minha profissão, respondo: contabilista.

O silêncio é mágico

A falta do diploma não se tornou empecilho para minha carreira. Marcelo Mariaca, um conhecido *headhunter*, disse-me certa vez:

"Sua carreira diz tudo o que um empregador quer saber. Ela isenta você da ausência de formação acadêmica. Não é uma necessidade".

Poucos sabem que nunca concluí um curso universitário, inclusive gente muito próxima de mim. Nesse quesito, tenho a companhia de empreendedores como Steve Jobs, Bill Gates, Mark Zuckerberg e Michael Dell. Richard Branson, o fundador da Virgin, sequer completou o ensino médio. A verdade é que o estudo me parecia uma atividade sem dinamismo, ao contrário da vida corporativa. Gosto da adrenalina do trabalho e sou extremamente envolvido com isso — mas, depois de acertar a empresa, perde a graça. Não me encaixo no figurino do executivo tradicional.

Não recomendo a ninguém abrir mão de uma sólida formação acadêmica, claro. Até hoje, convivo com lacunas que não existiriam se tivesse concluído um bom curso superior na área de negócios. Ao longo dos anos, me deparei com terminologias e conceitos no mundo corporativo que desconhecia. Quando isso acontece, corro para fazer pesquisas e me inteirar do assunto.

Uma base acadêmica pouparia metade do meu tempo. Em compensação, ao ir em busca de respostas às minhas dúvidas, eu passo na frente dos outros, pois tenho que me esforçar mais, trabalhar com mais afinco. Enfim, transformo o limão em limonada e até mesmo em sorvete. É como um deficiente visual que reforça outros sentidos, como o tato e a audição, para compensar a dificuldade de enxergar. A partir dessa necessidade, desenvolvi um estilo de gestão decisivo para o sucesso dos projetos que liderei.

No ambiente profissional, passei a interagir muito bem com as pessoas ao meu redor e aprendi a maximizar os recursos desses profissionais. A grande maioria dos integrantes de minhas equipes tem muito mais competência do que eu. Essa é minha recomendação: executivos bem-sucedidos devem se cercar de colaboradores melhores do que eles. Muito melhores, aliás. Porque eles darão as respostas para aquilo que você não sabe.

O importante não é ter respostas corretas para tudo, e sim fazer as perguntas certas. Jeffrey Immelt, ex-chefão da GE e considerado um dos executivos mais brilhantes da atualidade, deu uma lição de humildade e sabedoria ao definir o papel do líder: "Os bons líderes são muito curiosos; eles dedicam boa parte de seu tempo a aprender coisas novas".

Muitos dirigentes se sentem inseguros nessa situação e, quando identificam algum subordinado que se destaca, tratam de excluí-lo do time, ou de colocá-lo na geladeira, ou de demiti-lo. Se adotasse tal postura, eu teria fracassado. Minha principal competência é saber escolher e liderar pessoas. Para mim, ameaçador é trabalhar com gente com baixa qualificação técnica e gerencial. E o mais interessante é que, sempre que eu admito a falta de conhecimento em determinado campo, meus colaboradores retribuem com lealdade e apoio ainda maiores, pois respeitam a capacidade de fazer perguntas pertinentes e discernir as respostas certas.

Para isso é necessário desprendimento, característica rara entre empresários e altos executivos, orgulhosos de sua trajetória e das vitórias que acumularam. Para essas pessoas, é difícil aceitar que não têm todas as soluções para os problemas da empresa, o que pode levá-los a não ouvir ideias e sugestões de suas equipes. Não é esse meu ponto de vista. Prefiro escutar a falar. Quando entro em reuniões, exponho os desafios que temos e deixo espaço para que os participantes se pronunciem. Mantenho-me calado. E descubro que o silêncio é mágico. As saídas apresentadas para os problemas são invariavelmente mais sábias e efetivas do que aquelas que eu havia imaginado. Fazendo as perguntas certas, as respostas corretas virão.

Surge um workaholic

Quem também procurava respostas, lá pelos idos de 1961, era meu padrasto, Frederik. Eu vivia nos Estados Unidos havia quase quatro anos e meu futuro estava indefinido. O descompromisso com o estudo e o estilo errante e aventureiro que adotei o deixavam preocupado. Bem preocupado, aliás. Por isso, fui chamado para voltar de vez ao Brasil.

Acatei a decisão sem vacilar, pois tinha outros interesses por aqui. Cerca de um ano antes, durante um período de férias, reencontrei Leonor, uma vizinha que conhecia desde os seus doze anos. Numa festa, perguntei a ela:

"Você me espera?"

"Eu espero", ela respondeu.

Semanas depois, já de volta aos Estados Unidos, recebi uma foto dela, com os dizeres: "Ao Claudio, de quem nunca te esquecerá".

Logo depois de meu retorno definitivo ao Brasil, em 1962, nos casamos. Eu tinha 22 anos. Em janeiro de 2010, depois de quase cinquenta anos de convivência, Leonor faleceu de forma trágica em um acidente de avião, o que obviamente me lançou em um período de depressão. Em 2011, reconstruí minha vida afetiva ao me casar com Renata Lebensztajn, a mulher que me trouxe de volta o equilíbrio emocional e o comprometimento amoroso, tão necessários para nossas conquistas pessoais e profissionais. Com Renata vieram três filhos de seu primeiro casamento, o que reavivou a alegria de ter adolescentes e crianças em casa, pois meus dois filhos com Leonor já eram adultos. Luiz Claudio, o primogênito, nasceu em 1962. Daniela, em 1965.

O casamento com Leonor deixou meu padrasto feliz e aliviado, porque ele acreditava que o compromisso me colocaria no rumo certo. Como executivo de multinacional, sua condição financeira era muito confortável, embora não fosse milionário. Meu sogro também se encontrava numa situação muito boa, pois era grande fazendeiro em Goiás e Mato Grosso. Não sei se foi uma coisa combinada entre os dois ou não, mas ambos não nos deram refresco em relação a dinheiro. Eu e Leonor tivemos que nos virar para garantir o sustento. A grande ajuda de Frederik foi um emprego de vendedor para mim na Drew Chemical. A partir daí, caí na real e passei a trabalhar muito, com jornadas longas e intensas.

Naquele momento, estabeleci o ritmo de trabalho que me acompanha desde então. Começava às sete da manhã e encerrava o expediente às dez ou onze da noite. Quando trabalhei na Cecrisa, fabricante de revestimentos cerâmicos, em Criciúma, Santa Cata-

-rina, minha jornada se estendia até os fins de semana. Tanto que Leonor, que continuou a viver em São Paulo nessa época, ia para lá aos sábados, sentava-se num sofá em minha sala e ficava lendo até as duas da tarde, quando saíamos para almoçar e descansar. A dose se repetia no domingo. Surgiu ali um workaholic — tanto que só chegava à academia para malhar por volta das dez da noite. Sem disposição para esperar que eu terminasse os exercícios, o dono me entregou uma chave para que eu entrasse e saísse do local na hora que quisesse.

Na Drew Chemical, enfrentei dois desafios, além de vender produtos químicos. Primeiro: dominar uma atividade totalmente desconhecida para mim até então, em um setor sobre o qual eu não sabia absolutamente nada. Segundo: provar que minha permanência na empresa se devia ao meu desempenho, e não à proteção de meu padrasto.

Logo me destaquei e ganhei promoções. De vendedor a gerente de vendas; de gerente a diretor de vendas. Quando meu padrasto faleceu, os executivos norte-americanos vieram ao Brasil e, talvez por falta de opção, me nomearam diretor-geral. Isso tudo em apenas três anos de casa.

Já em meu primeiro ano no cargo, a Drew registrou um tremendo lucro. Boa parte do resultado veio de um movimento quase intuitivo que promovi. Nos Estados Unidos, a empresa fabricava margarina com óleo de palma, que vinha do Oriente, e babaçu, cujo maior produtor era o estado do Maranhão. Por conta de uma boa safra, o produto atravessava um período de preço baixo, e dei um lance arriscado: comprei todo o babaçu que podia. Com isso, a matéria-prima se valorizou. A Drew, no entanto, tinha boa parte do fornecimento garantido, pois eu havia comprado o produto na baixa.

Esse movimento "fechou" o mercado para os concorrentes e rendeu muita competitividade para a empresa. Não houve um estudo de mercado ou alguma outra análise mais apurada que me desse segurança para tomar uma decisão como aquela. Agi com base na intuição, pois àquela altura já conhecia a dinâmica do setor. Se errasse, a Drew ficaria com um estoque enorme de babaçu, gerando um custo financeiro inviável, além de correr o risco de um prejuízo provocado pela eventual queda do preço de mercado dessa matéria-prima.

A intuição faz parte do mundo dos negócios e é uma ferramenta de gestão, sobretudo em processos de *turnaround*. Como nesses casos o quadro de deterioração da empresa exige ações imediatas, nem sempre é possível esperar por informações absolutamente precisas para embasar as decisões. Há uma dose de risco grande. A alternativa ao risco é a paralisia, que em momentos de crise aguda pode só acentuar os problemas.

Além disso, nos últimos anos houve uma mudança no cenário econômico e no universo corporativo que tornou a intuição ainda mais necessária — a revolução digital, que acelerou o fluxo de informações a um nível inédito na história. No livro *Uma era de descontinuidade*, Peter Drucker, um guru da administração, escreveu que "a velocidade das mudanças e das descobertas ultrapassa nossa capacidade de nos mantermos atualizados". Drucker era um visionário, pois a obra foi publicada no final dos anos 1960, muito antes da era dos microcomputadores, da internet e das redes sociais.

Tudo isso torna o ambiente de negócios permanentemente volátil e instável. O que vale neste minuto não servirá no seguinte. A instabilidade é a nova normalidade. O número de variáveis que influenciam qualquer assunto é colossal. Portanto, não é possível controlar todas as variáveis antes de se tomar uma decisão — esse controle é impossível. Aí entra a intuição. Mas não se trata de agir de forma intempestiva ou aleatória — isso não é intuição, é inconsequência ou irresponsabilidade. A intuição é a última fase no processo de decisão. Antes é necessário se cercar de todas as informações possíveis e disponíveis.

Na Drew, ainda jovem, eu não tinha noção teórica disso, mas tive a sensibilidade prática. O negócio com o babaçu foi um bom exemplo, e chamou a atenção de meus chefes nos Estados Unidos. Tanto que me deram uma nova responsabilidade: acumular o comando da subsidiária argentina. Em meus três anos à frente da direção-geral no Brasil e na Argentina, a companhia dobrou de tamanho.

As duas filiais eram exceção no grupo. A Drew Chemical passava por dificuldades financeiras nos Estados Unidos, e os donos resolveram se desfazer do negócio, inclusive da subsidiária brasileira. Para eles, eu era o candidato preferencial para comprar a empresa por aqui, mas não tinha dinheiro suficiente e na época não conhecia os mecanismos para montar a engenharia financeira para a aquisição. Além disso, depois de seis anos de empresa, já não me sentia desafiado, e a sensação de saciedade me incomodava. Graças a uma boa negociação, deixei a Drew com uma ótima indenização e me lancei ao mercado.

Xadrez estratégico

Mesmo com a quantia robusta que recebi, eu queria me recolocar o mais breve possível — afinal, tinha uma família com dois filhos pequenos. Em um anúncio de jornal, encontrei uma vaga para gerente tesoureiro em uma multinacional instalada no Brasil. O *headhunter* encarregado da contratação era um suíço grandalhão e bem-humorado que se apresentava, inclusive no cartão de visitas, como A. H. Fuerstenthal.

Pioneiro na área de recrutamento e seleção de executivos, Fuerstenthal adorava jogar xadrez, um dos meus passatempos preferidos na época. Já na primeira entrevista, disputamos uma partida e dei uma tremenda surra nele. Inconformado, me convidou para um segundo duelo. Outra surra, o que gerou mais um desafio.

No terceiro embate, ficamos sentados à frente do tabuleiro por cinco horas. Foi quando me dei conta de que a vida tem suas particularidades, e aquele sujeito tomaria a decisão sobre o preenchimento de uma vaga que me interessava. Bem, eu o deixei vencer. Ele vibrou e, volta e meia nos anos seguintes, me convidava para novas partidas (e, diante de sua felicidade, jamais me atrevi a ganhar novamente).

Fuerstenthal me indicou para a posição de gerente tesoureiro da Atlas Copco, uma fabricante sueca de compressores de ar e equipamentos para mineração e construção pesada, como perfuradores de rochas. A empresa fazia parte de um dos maiores conglomerados da Europa, controlado pelos Wallemberg, a família mais rica da Suécia, controladora do Stockholms Enskilda Bank e de outras marcas famosas, como Ericsson, Scania, Electrolux e ABB.

Eu não conhecia quase nada do setor, e tampouco possuía especialização em finanças. Só que Fuerstenthal achou que eu era o cara — e no fim as vitórias no tabuleiro nem teriam influenciado na avaliação. Ele não procurava um expert, e sim alguém com "inteligência para lidar com coisas diferentes ou estranhas".

Assim, em 1968, assumi meu cargo na Atlas Copco. O diretor financeiro da empresa era um sueco, mas desempenhava um papel de acompanhamento, e não de operação na área. Na prática, portanto, eu era o responsável por tocar o dia a dia, inclusive os contatos com os bancos.

A companhia era sólida, bem estruturada e redondinha financeiramente. Foi um bom aprendizado na área financeira, sobretudo em aspectos técnicos. Meu relacionamento com os suecos daqui e da matriz sempre foi bom. Mas em momento nenhum me deparei com o desafio da transformação.

Poucos anos depois, a sensação de acomodação voltou a tomar conta de mim. A vontade de mudar de ares e a conjuntura do país chamaram minha atenção para uma oportunidade, mas não como executivo, e sim como empreendedor. Foi o que deu início a alguns dos momentos mais traumáticos de minha vida, mas que ao mesmo tempo me proporcionaram experiências que se tornariam a base de minha atividade nas décadas seguintes e me dariam os instrumentos para salvar empresas da bancarrota.

Ascensão e queda

Nos anos 1970, o Brasil vivia um boom de investimentos em infraestrutura, entre eles as grandes usinas hidrelétricas. As obras de Itaipu, por exemplo, estavam começando. A demanda por máquinas pesadas não parava de crescer, e havia lista de espera de até um ano para recebê-las dos fabricantes. "Puxa, tem uma oportunidade aí", pensei.

A ideia era a seguinte: comprar equipamentos de perfuração de rochas e oferecer os serviços nessa área para as empreiteiras responsáveis pelas obras de usinas, estradas etc. Embarquei para a Suécia e sugeri à diretoria da Atlas Copco criar uma nova divisão voltada para esse segmento. Assim, o negócio ficaria embaixo do guarda-chuva da companhia, o que facilitaria o início da atividade no Brasil. Eu seria o presidente.

"Não", eles responderam. A Atlas Copco era uma indústria, não tinha vocação para prestação de serviço. Propus, então, que eu criasse a empresa e eles financiassem a compra das máquinas. Outro "não".

Bem, se a Atlas Copco não queria, me desliguei da empresa e fui para o concorrente direto, a americana Ingersoll Rand. Quando os americanos viram o projeto, aceitaram financiar a aquisição de sete perfuradoras. Havia um gostinho especial para eles. E era estratégico. Fazia anos que a empresa tentava entrar no mercado brasileiro, mas não conseguia porque a Atlas Copco era muito forte aqui e, quando necessário, vendia a preço de custo para impedir o desembarque de um rival. Corri para Itaipu e disse: "Pessoal, eu tenho os equipamentos de que vocês precisam". Foi como música para os ouvidos dos dirigentes de estatal, e fechamos o contrato.

Assim, em 1975, fundei a Armaq, especializada em locação de equipamentos de ar comprimido para perfuração de rocha e prestação de serviços na área, junto com um sócio, Giuseppe Galizia, um italiano que, sem formação nenhuma, muito simples, sabia tudo sobre operação de máquinas e a atividade de perfuração de rochas em grandes estruturas. Em um ano, conquistamos um portfólio de negócios no valor de 11 milhões de dólares. Nos três anos seguintes, o crescimento manteve o ritmo. Até que fomos convidados para participar de uma grande concorrência na Cosipa, a Companhia Siderúrgica Paulista, empresa estatal privatizada nos anos 1990 e que hoje pertence à Usiminas. E ganhamos. A conquista daquela conta seria um grande salto para nós, mas meses depois se revelou o caminho para a derrocada da Armaq.

Vivíamos o final da década de 1970. As crises mundiais de petróleo em 1973 e 1979 e a ressaca do milagre econômico secaram as linhas de financiamento para países como o Brasil. As grandes obras escassearam. O contrato com a Cosipa daria oportunidade de utilizar os equipamentos e ocupar a mão de obra, que estavam ficando ociosos com a redução no ritmo de outros projetos de porte. Só que a assinatura do contrato não saía. A Armaq apresentava todos os pré-requisitos: cadastro, boa situação financeira e experiência comprovada. Mesmo assim, a assinatura não saía.

Logo descobri o motivo. Havia um esquema na Cosipa. Alguns fornecedores ganhavam as concorrências e pagavam propina para os ocupantes de certos cargos na estatal. A Armaq furou o esquema ao oferecer um valor menor para fazer o serviço. Então, veladamente, alguns funcionários corruptos da Cosipa sugeriram que eu desistisse do negócio e deixasse que algum dos participantes do esquema tocasse a obra. Em troca, a Armaq receberia uma comissão. Não aceitei. Gente próxima de mim disse que era "burrice" recusar a "proposta". Mantive a posição. Primeiro, por uma postura ética — várias vezes em minha carreira encarei situações como essa e nunca cedi. Segundo, porque eu ganhara a concorrência licitamente e, mais cedo ou mais tarde, o contrato seria assinado.

Engano meu. Sempre faltava um documento, sempre adiavam a reunião, sempre aparecia algum assunto mais urgente. Enfim, enrolavam e me sufocavam pouco a pouco. Para eles, era apenas mais um contrato — para mim, era *o* contrato. Durante mais de seis meses esperei por uma solução que não veio, e a Armaq foi estrangulada financeiramente. Sem receita suficiente, o caixa passou a ser consumido pela folha de pagamento e pelas despesas de manutenção dos equipamentos parados.

"Estou quebrado"

Foi quando aprendi a primeira lição, que utilizo desde então em todas as empresas com dificuldades financeiras: não hesite. A paralisia não soluciona problemas, só agrava, pois eles adquirem uma dinâmica própria e se acentuam. Se no primeiro mês o resultado não aparecer, tudo bem. Se no segundo e no terceiro não houver sinais de melhora, tome medidas draconianas sem vacilar. Persistir, nesses casos, é cometer um pecado capital.

Não errei em manter a postura ética. Meu erro foi demorar para tomar as atitudes certas. Eu deveria enxugar a estrutura da empresa tão logo tomei conhecimento do esquema, vendendo equipamentos e demitindo funcionários.

Nos anos seguintes, encontrei inúmeros empresários que agiam como eu. Diante de uma crise severa, a primeira reação é a da negação. Apaixonado pelo negócio, ele acredita que algo acontecerá para tirá-lo do enrosco. O envolvimento emocional com a empresa não lhe permite enxergar e admitir o óbvio: "estou quebrado".

Pela própria essência do empreendedor, ele não desiste facilmente, não larga o osso e passa a viver da expectativa, e não da realidade. Não é uma projeção, é apenas uma expectativa sem base real. O autoengano tem diversas formas. Por exemplo: eu passava noites sem dormir por não conseguir pagar as contas. Quando levantava algum dinheiro em bancos, dormia como uma pedra, na falsa ilusão de que o aperto não voltaria. Essa fase durava uns vinte dias, até que os recursos acabassem e a insônia voltasse.

No final das sextas-feiras, uma tranquilidade, quase euforia, tomava conta de mim, entrava pelo sábado e se estendia até domingo — afinal, os bancos não abriam nos fins de semana. No começo da noite de domingo começava a angústia, porque segunda-feira era dia de luta e as dívidas me aguardavam. Quando a musiquinha de abertura do *Fantástico* tocava, a angústia virava desespero.

Esse é um dos mitos aos quais os empresários em dificuldades financeiras se apegam. Um novo aporte de capital ou empréstimo, pensam, resolve o problema. Não resolve. É o primeiro dinheiro a sumir, porque as causas que levaram ao declínio continuam consumindo os recursos. Quando as coisas começaram a ir mal na Armaq, com ajuda de um computador Apple (um dos primeiros no Brasil), eu montava planilhas financeiras detalhadas e quilométricas a partir de premissas descoladas da realidade. Ali o mundo era cor-de-rosa e a os resultados da empresa, vistosos. Uma tela de computador aceita tudo e, assim, eu me iludia.

O caixa secou, e corri aos bancos para pegar empréstimos e sustentar a operação. Logo comecei a atrasar as prestações. Depois, com o caixa zerado, interrompi o recolhimento de impostos e parei de pagar os fornecedores. Para não atrasar os salários, vendia os equipamentos. O que me trouxe de volta à realidade foi uma conversa com o banqueiro Pedro Conde, dono do BCN, uma das maiores instituições financeiras da época, adquirido anos depois pelo Bradesco. Ele era um de meus credores. Como todo banqueiro, era um cara muito frio. Ouviu minha história e, sem demonstrar nenhuma emoção, sugeriu: "Eu sei que você tem uma casa bem bonita na Granja Viana. Me dá a casa como parte do pagamento". Essa resposta me despertou para o óbvio. Eu não sairia facilmente da encrenca. "Pedro, eu não vou te dar a casa", respondi e fui embora.

Nesse processo, aprendi outra lição: pensar bem como pagar as contas nesse período. Não há dinheiro para todas, então é preciso fazer um planejamento rigoroso e dar prioridade àquilo que manterá o negócio vivo, inclusive para continuar, na medida do possível, honrando os compromissos. Sem ceder a pressões de credores mais poderosos e ignorando apelos sentimentais. Quando a Armaq estava em seus estertores, o gerente de um banco credor me procurou e implorou para que eu pagasse a dívida que havia contraído lá. "Sou seu amigo. Você não pode fazer isso comigo. Meu emprego está em risco", argumentou ele.

Sensibilizado, raspei o fundo do caixa e quitei metade da dívida. Pois, em vez de agradecer, ele questionou agressivamente: "E a outra metade? Não vai pagar?". Enfim, gastei um dinheiro precioso e continuei devendo para todo mundo sem nenhum refresco.

Pensei em suicídio

Em um de seus mais belos romances, *O Sol também se levanta*, o escritor norte-americano Ernest Hemingway relata o seguinte diálogo entre dois personagens: "'Como você foi à falência?', perguntou Bill. 'De duas formas', disse Mike. 'Aos poucos, e então de repente'".

Curiosamente foi um romancista, e não um economista ou administrador de empresas, quem descreveu com precisão a dinâmica da falência de um negócio. É bem assim que acontece: a situação se deteriora de forma gradativa e, de supetão, mostra-se insustentável. Na Armaq, entrei numa espiral de endividamento e não conseguia sair. Queimei minhas economias pessoais. Bens particulares entraram na roda e me desfiz até do carro — passei a usar um automóvel velho, caindo aos pedaços, emprestado por uma tia de Leonor, minha esposa na época. Até objetos de decoração, como tapetes e quadros, foram vendidos. Todas as despesas possíveis foram cortadas, inclusive as mais importantes, como planos de saúde da família.

Só mantive a casa (se eu a vendesse, os credores pegariam o dinheiro) e não atrasava as mensalidades das escolas de meus filhos. Minha resistência em admitir a quebra da Armaq perdurou mais do que o recomendável. Graças ao meu primo Paulo Lourenço e sua insistência, aceitei a realidade e recorri à concordata. No meio desse turbilhão, sofri uma crise renal que me levou ao hospital. Fui medicado e a dor passou. Os médicos, no entanto, recomendaram que eu ficasse internado alguns dias até superar inteiramente a crise. Quando pediram um cheque como garantia, pensei: "Vai ser um cheque sem fundos. Vou arrumar mais problemas para mim? Não vou".

Pedi uma receita com os remédios. Aprendi a autoaplicar injeção na veia e fui para casa me tratar. Logo que a Armaq entrou com o pedido de concordata, o advogado me sugeriu o seguinte: "Claudio, não adianta você ir para o escritório, porque você vai ser assediado pelos credores e não poderá fazer absolutamente nada antes do juiz aceitar o seu pedido de concordata. Então, fica em casa".

Foi o que fiz. Passei trinta dias recolhido. Todos os dias de manhã acordava, ia para o escritório de minha casa, deitava em um sofá e ficava olhando para o teto. Os sentimentos mais negativos povoavam minha cabeça — entre eles, o suicídio. Todas as formas de tirar minha própria vida foram consideradas, com alguns critérios. Por exemplo: eu jamais sujaria o tapete de casa. Ou seja, não cometeria o suicídio no lugar onde morava. Além disso, teria que parecer um acidente. Afinal, pensava eu, minha família já passava por um momento terrível de provações, e um suicídio às claras seria ainda mais traumático.

Eu não via saída para a situação, mas só percebi anos depois que naqueles trinta dias fiz uma profunda reflexão sobre minha vida. Uma das constatações foi o excesso de vaidade profissional. Todo empresário tem um ego muito grande, e também não escapei dessa armadilha. A Armaq tinha sido criada por mim do zero, cresceu rapidamente com resultados consistentes e, por isso, minha autoestima foi às alturas. Só que o egocentrismo não resolve coisa nenhuma. Mais de uma vez, falei: "Ninguém mais me segura". Leonor alertou para o risco do excesso de vaidade: "Não diga isso", recomendou ela.

Em circunstâncias de intenso estresse, como eu enfrentava naquele momento, as pessoas se tornam extremamente autocríticas. Sem formação acadêmica, o que eu poderia fazer da vida? O.k., eu havia acumulado um histórico profissional valioso, mas, na minha visão naqueles trinta dias, aquilo não valia nada. Poderia vender a casa para investir em algum negócio, mas se o fizesse o dinheiro seria logo bloqueado. Enfim, eu parecia não ter perspectiva.

Nessa ampla reavaliação de minha vida, identifiquei um vazio que não havia percebido. Eu me aproximava dos quarenta anos de idade e não me lembrava de diversas fases do crescimento de meus filhos. Não havia me esquecido, não. Pior: não me lembrava porque foram momentos que não existiram para mim; eu não estava presente física ou emocionalmente, estava absorvido de forma integral pelo trabalho.

Essa é uma dor que não passa. Recentemente, durante um encontro com jovens herdeiros de empresas familiares, iniciei a apresentação alertando-os para que não cometessem esse erro. A família em primeiro lugar, aconselhei. "Por isso, começo nossa conversa com esse tema. Ele é prioritário", disse a eles.

Uma pergunta de um participante no final do evento revelou uma dúvida comum entre executivos e empresários: "É possível equilibrar a vida familiar e a profissional, se os negócios exigem uma dedicação total?". Sim, tem que ser possível, embora difícil. O período de convivência com filhos deve ser tratado na agenda com o mesmo rigor que os demais compromissos. Assim como raramente se desmarca uma reunião interna ou uma visita a clientes, não se deve abrir mão (a não ser em casos excepcionais) do encontro marcado com a família. É necessário desenvolver uma equação para conciliar tudo isso. Tenho 78 anos e, desde aquela época, eu a sigo. Não há segunda chance. O tempo é inelástico, e não pode ser estocado. O minuto desperdiçado hoje não será devolvido mais adiante. O aniversário de dez anos de um filho ou filha, por exemplo, não mais se repetirá. Assim como a festa do Dia dos Pais na escola ou um passeio programado para o fim de semana e depois cancelado.

A trilha menos frequentada

Fiquei preso nesse círculo vicioso até perceber que isso não levaria a lugar algum. No final dos anos 1970, um filme chamado *O expresso da meia-noite*, do diretor Alan Parker, fez muito sucesso. A história mostrava o drama de um americano preso na Turquia em um manicômio judiciário. Os detentos ficavam andando em círculos ao redor de uma coluna. Todos no mesmo sentido. O americano, então, decidiu caminhar na direção oposta para evitar a neurose que tomava conta de seus companheiros. Caso contrário, ficaria louco.

Percebi que eu estava fazendo o mesmo. "Poxa, não vou resolver coisa nenhuma ficando aqui depressivo, pensando em me suicidar. Está na hora de reagir e ir no sentido contrário a essa inércia." Sempre busquei novos caminhos, e não seria diferente dessa vez. Um poema de Robert Frost, um dos meus poetas preferidos, resume esse espírito e é uma fonte de inspiração desde minha juventude. Eu o usei em mensagens de despedidas das empresas em que trabalhei. O título é "The Road Not Taken":

A TRILHA MENOS FREQUENTADA

Duas trilhas se abriam no relvado,
E, triste, e sem poder pegar as duas
E ser um só, fiquei ali parado,
E olhei o quanto pude para um lado,
Até quando a folhagem não recua;

E quis a outra, igual como paisagem,
Mas, tendo grama e estando mais inteira,
Talvez propondo uma certa vantagem,
Ainda que, por ser também passagem,
Mostrasse marcas bem como a primeira,

E as duas naquela manhã cobria
Folhagem que ninguém veio pisar.
Ah, deixei aquela para um outro dia!
Mas como via leva a outra via,
Eu duvidava de poder voltar.

E essa história, ah, será contada
Noutro lugar, anos e mais à frente
Duas trilhas na mata cerrada,
E eu... peguei a menos frequentada,
E tudo ficou diferente.*

---

* Tradução de Caetano W. Galindo, do original: "*Two roads diverged in a yellow wood,/ And sorry I could not travel both/ And be one traveler, long I stood/ And looked down one as far as I could/ To where it bent in the undergrowth;// Then took the other, as just as fair,/ And having perhaps the better claim,/ Because it was grassy and wanted wear;/ Though as for that the passing there/ Had worn them really about the same,// And both that morning equally lay/ In leaves no step had trodden black./ Oh, I kept the first for another day!/ Yet knowing how way leads on to way,/ I doubted if I should ever come back.// I shall be telling this with a sigh/ Somewhere ages and ages hence:/ Two roads diverged in a wood, and I—/ I took the one less traveled by,/ And that has made all the difference*".

Era hora de escolher a nova rota. Aquele curto, ainda que intenso, período de baixo-astral completou minha formação como especialista em *turnaround* e transformação de empresas. As constantes mudanças e a busca por caminhos de minha infância e adolescência representaram a educação básica. A concordata da Armaq foi minha grande faculdade. E as poucas semanas em que fiquei deitado num sofá, olhando o teto, se constituíram em um mestrado, um MBA de alto nível.

CAPÍTULO 2

BP Mineração e Cesbra

O avião Seneca III chacoalhava um bocado, e lá embaixo a floresta amazônica se estendia até onde o olhar podia alcançar. Só os rios cortavam aquela imensidão verde. Em breve eu aterrissaria no pátio de operações de uma mina de cassiterita, pertencente à Companhia Estanífera do Brasil (Cesbra), uma associação do grupo canadense Brascan e da British Petroleum. Naquela época, final da década de 1980, eu era o CEO da empresa.

Problemas e mais problemas me esperavam em solo: garimpeiros clandestinos, invasores de terra, pressão de autoridades, clima inóspito e, como consequência disso tudo, um ambiente de violência. Esse era o dia a dia na atividade de mineração. Foram quatro anos de minha carreira dedicados a duas empresas desse setor. Entre julho de 1987 e setembro de 1989, fui vice-presidente comercial da BP Mineração, subsidiária do grupo inglês British Petroleum, um gigante empresarial com vários ramos de atuação. A segunda experiência, que se estendeu por mais um ano e meio a partir de setembro de 1989, teve lugar na Cesbra.

Os solavancos do voo incomodavam, e os desafios do setor provocavam muita tensão, mas nada comparado ao terremoto que sacudira minha vida seis anos antes, quando a Armaq afundou e quase carregou minha vida junto. Depois do período de depressão, e de até pensar em suicídio, direcionei todas minhas energias para tirar a Armaq da concordata e equacionar o endividamento.

Da concordata, me livrei antes dos dois anos exigidos pela legislação da época, firmando um acordo com os credores para quitar tudo. O pagamento dos débitos se estendeu por mais sete anos, dignos da provação de Jó. Apesar das dificuldades financeiras, não sofri nenhuma ação trabalhista ou de outra ordem.

A Armaq continuava a operar com limitações pela falta de credibilidade que sempre acompanhava um pedido de concordata (hoje, o mesmo acontece com companhias em recuperação judicial, o instrumento jurídico que substituiu a concordata, com mais flexibilidade para a renegociação dos passivos). Num primeiro momento, minha principal fonte de receita vinha do trabalho como presidente do Conselho Nacional do Sesi, que dividia meu tempo com a direção da Armaq. Eu chegara lá nomeado pelo então presidente João Baptista Figueiredo, por indicação de Murilo Macedo, ministro do Trabalho e meu amigo de longa data.

No Sesi vivenciei a primeira experiência em reestruturação, quando Murilo pediu que eu planejasse a transferência da sede do Conselho do Rio de Janeiro para Brasília. Ali trabalhavam cerca de quarenta funcionários, boa parte indicada por políticos e autoridades do complexo da Confederação Nacional da Indústria (CNI). Portanto, minha tarefa significava mexer em um vespeiro.

Ignorei esse aspecto e promovi uma reestruturação profunda, transferindo alguns para Brasília e demitindo diversos, tanto pela impossibilidade de aproveitar todos na capital federal como por baixo desempenho. A reação foi imediata e muito mais forte do que eu supunha. Deputados e governantes promoveram um bombardeio contra a transferência da sede e, por tabela, contra mim. Uma das mais ativas nos ataques foi Sandra Cavalcanti, uma política polêmica e de muita influência no Rio de Janeiro na época.

Não demorou e o próprio Murilo Macedo me procurou alarmado. "Você está demitindo muita gente", disse ele. "Você me pediu para fazer a transferência e dar mais eficiência ao conselho do Sesi", respondi. "Eu não queria esse banho de sangue, mas toca em frente", respondeu Murilo.

E assim fiz. O Sesi me deu tarimba nos processos de demissão e também mostrou que meu estilo de gestão é incompatível com a realidade do setor público — com suas ingerências políticas inevitáveis, suas decisões lentas e sua autonomia muito limitada. E não faltaram oportunidades para atuar no governo. Décadas depois, em 2015, recebi um convite do então ministro da Fazenda, Joaquim Levy, para uma reunião num edifício do Banco do Brasil localizado na avenida Paulista, onde ele despachava em alguns dias da semana.

Na ocasião, ele me convidou para assumir uma posição no governo, com o objetivo de estudar e propor ações para tornar a máquina pública mais eficiente e reduzir custos, sobretudo no INSS. Nossa conversa foi interrompida diversas vezes por ligações da então presidente Dilma Rousseff. Senti a barra: se trabalhar no setor público já é difícil, imagine numa área do governo na qual não havia clareza sobre a autonomia do ministro. Mas é complicado dizer não a um ministro da Fazenda! Por conta de uma viagem ao exterior, eu me ausentaria do país por duas semanas e na volta daria a resposta.

Assim que retornei, liguei para o seu chefe de gabinete em São Paulo, agradecendo a confiança e declinando o convite, pois acreditava que não poderia contribuir como seria necessário. Se minha experiência na presidência do Conselho Nacional do Sesi havia gerado um tsunami, nem imagino como seria em uma entidade pública como o INSS. Meses depois, quem deixou o ministério foi ele...

Outro namoro — que não passou de uma troca de olhares, na verdade — com o setor público envolveu André Esteves, fundador do banco BTG. Em 2015, quando Graça Foster deixou a presidência da Petrobras, ele me sondou sobre um eventual convite para presidir a companhia. Eu disse que aceitaria sob três condições: não haver interferência partidária; liberdade para escolher diretores, ou pelo menos direito a veto de nomes; e relativa independência para promover as mudanças que julgasse necessárias.

Pode parecer estranho que não tenha solicitado autonomia absoluta. Mas, por seu porte, sua tradição e controle estatal, a Petrobras é uma empresa com forte conteúdo político — note que não uso a palavra partidário. Esteves ouviu atentamente. E foi tudo. Ninguém voltou a falar comigo sobre o assunto. Talvez as conversas evoluíssem se eu não fosse tão enfático nas exigências, mas a experiência no Conselho Nacional do Sesi me ensinara os limites de atuação em empresas estatais. De qualquer forma, a história correu o mercado. Mais ou menos na mesma época, José Olympio, presidente do Credit Suisse no Brasil, lançou meu nome quando fiz uma palestra durante um almoço para clientes que ele promoveu no banco.

Um dia de terno, outro no garimpo

A atuação no Conselho Nacional do Sesi não representava para mim uma continuidade na carreira. E, como era um cargo de confiança, eu poderia ser substituído a qualquer momento. Então saí ao mercado em busca de uma nova colocação. Mais uma vez, apareceu a figura carinhosa de A. H. Fuerstenthal, o *headhunter* amante de xadrez e bom de contatos. Sua carteira de clientes incluía a filial brasileira da BP Mineração, no Rio de Janeiro, que procurava na ocasião um vice-presidente comercial. "Você se encaixa direitinho na posição", afirmou ele.

Dias depois estava sentado diante do presidente da empresa. Empatia imediata. Não foi necessária sequer uma segunda reunião. "Quando eu começo?", perguntei depois de ele dizer que eu acabara de ser contratado. "Agora", respondeu ele.

No setor de mineração, convivi com ambientes distintos — opostos, até — e pessoas totalmente diferentes. Em alguns dias, eu estava de terno e gravata em Brasília conversando com parlamentares e outras autoridades em gabinetes refrigerados e confortáveis. Logo depois eu me enfurnava nos canteiros de obras das minas da BP ou no que chamavam de buracos de garimpo, as lavras feitas por autônomos em condições precárias de trabalho sob um sol de quarenta graus. Passava boa parte do tempo viajando, inclusive como piloto em pequenas aeronaves que chacoalhavam sobre a floresta amazônica, chegando a extremos do país, como a reserva dos índios ianomâmis, em Roraima, fronteira com a Venezuela. Nesse período, colecionei muitas aventuras e larga experiência na gestão de crises.

Enfrentei, ao longo de quatro anos, uma avalanche contínua e avassaladora de problemas dos mais variados tipos e origens. Com isso, adquiri uma enorme flexibilidade, tomando decisões em diversas frentes e variados assuntos. A BP Mineração atuava na prospecção e exploração de metais básicos, como cobre, zinco, ouro e níquel. A empresa possuía mais de setecentos alvarás de pesquisa e prospecção, sozinha ou em participação com outras companhias. Já tinha investido 340 milhões de dólares na área, com "resultados ainda insignificantes para justificar os investimentos e a própria estrutura empresarial que edificamos", conforme escrevi em um artigo publicado no *Jornal do Brasil* naquela época.

Para completar, na segunda metade dos anos 1980, quando assumi a vice-presidência comercial da empresa, a economia brasileira e o setor de mineração, em particular, viviam momentos de muita indefinição. O regime militar saíra de cena, deixando como legado inflação em disparada, de 215% em 1984, recessão, queda na atividade produtiva e alta no desemprego. A longa agonia e posterior morte de Tancredo Neves criaram um clima político ainda mais instável.

A seguir, a instauração da Assembleia Nacional Constituinte, em fevereiro de 1987, trouxe muita incerteza às mineradoras, já que havia propostas para nacionalizar o setor e não permitir que multinacionais atuassem em prospecção, lavra e beneficiamento de riquezas minerais. Diante de todo esse quadro, o humor dos acionistas não era dos melhores. Minhas funções incluíam um trabalho de convencimento junto aos parlamentares para mostrar que restrições ao capital estrangeiro minguariam os investimentos no setor e trariam prejuízos ao país. Só que eu entendia pouco de mineração, e precisava de gente com embasamento técnico para me ajudar.

Certo dia, almoçando no restaurante do escritório central no centro do Rio de Janeiro, notei dois funcionários sentados numa mesa ao lado. Eu era recém-chegado à companhia, não os conhecia, e eles também não sabiam quem eu era. Assim, incógnito, sem que percebessem, acompanhei a conversa. Um deles me impressionou pela forma ao mesmo tempo apaixonada e articulada como falava sobre mineração e a importância da presença de grupos internacionais no Brasil. Dias depois, eu o chamei à minha sala. Noevaldo Teixeira era um baiano de Vitória da Conquista na faixa dos trinta anos e formado em geologia. "Você vai para Brasília e vai liderar um grupo de funcionários da companhia para defender a mineração junto aos constituintes." Ele, surpreso, respondeu: "Sou um geólogo e não entendo nada de política". Eu expliquei: "Eu também não, mas preciso de gente de minha confiança lá e que acredite no tema".

Formado por cinco profissionais da BP Mineração, o time de esclarecimento, como o batizei, visitou mais de 160 parlamentares nos meses seguintes expondo nossos argumentos e a importância da presença de grupos internacionais no mercado. Não foi suficiente. A Constituição de 1988 estabeleceu sérias restrições às multinacionais, exigindo que apenas empresas controladas por brasileiros explorassem minérios no país. As maiores beneficiadas seriam as grandes empreiteiras, o que demonstra que, já àquela época, a nefasta presença dessas empresas se fazia sentir ao conduzir as leis a seu favor. Dois dias antes da promulgação, escrevi um artigo intitulado "O desafio para a mineração", no *Jornal do Brasil*, na época um dos mais prestigiados veículos de imprensa no país, alertando para os riscos que as novas regras traziam, principalmente para a atração de investimentos:

> Os dispositivos constitucionais recentemente aprovados impedem que qualquer empresa multinacional, com os mesmos objetivos iniciais da BP, possa fazer tal dispêndio, a menos que encontre sócios controladores locais. Este é um grande desafio: convencer o empresariado nacional a investir durante dez anos, sem qualquer garantia de retorno.

Somente em meados da década de 1990 as barreiras ao capital estrangeiro foram removidas da Constituição, mas o estrago previsto no artigo já estava feito. Uma reportagem da *Folha de S.Paulo* anos depois dimensiona a perda de investimentos. Segundo o jornal, "até 1988 (ano da Constituição), o investimento médio anual em pesquisa mineral no país era de 160 milhões de dólares. De 1988 a 1992, a média caiu para 50 milhões de dólares anuais".

Com a conjuntura desfavorável a novos investimentos, a prioridade se deslocou para a melhoria de desempenho da empresa, o que significava enfrentar obstáculos comuns às empresas do setor e também os riscos inerentes à operação dos garimpos. Sem estradas para percorrer distâncias grandes entre locais isolados, os pequenos aviões monomotores se constituem no principal meio de transporte nas regiões das minas. Com a exceção das que pertenciam às grandes mineradoras, as aeronaves, com condições de manutenção pouco satisfatórias, voavam de um lado para o outro com peso acima da capacidade, carregando, sem nenhum tipo de proteção, desde galões de combustível até jegues.

Isso mesmo: jegues, os animais mais indicados para transporte de carga nos garimpos, áreas enlameadas, íngremes e de difícil acesso. Antes de serem embarcados, eram dopados para que não se movimentassem. Só que muitas vezes a viagem se estendia além do previsto, os bichos acordavam, se agitavam e, nervosos, davam coices, a ponto de desestabilizar os aviões e derrubá-los. A saída absurda de alguns garimpeiros ilegais era arremessar os animais para fora em pleno ar — e sabe-se lá onde caíam. Noevaldo Teixeira contou que certa vez, para ganhar mais espaço no interior da aeronave, um piloto substituiu seu banco por um botijão de gás que precisava transportar e, sentado ali, conduziu o avião.

Curioso é que o maior susto de Noevaldo nos ares foi em um voo em que eu pilotava um bimotor Seneca III com a manutenção em dia, abastecido e sem violar nenhuma regra de segurança. Saímos de uma mina em direção a um aeroporto urbano quando nos deparamos com uma violenta tempestade tropical. A aeronave chacoalhava sem parar e eu, tranquilo — afinal, a experiência me ensinara que condições climáticas ruins fazem parte da aviação. Eu puxava conversa com Noevaldo, e ele quieto. Quando finalmente pousamos, seu rosto estava lívido, e a camisa empapada de suor. Estranhei e perguntei se estava com tanto calor assim. E ele respondeu: "Calor? Eu estou é suando frio".

"Você é um pilantra"

Em solo firme, a realidade era tão instável como a bordo das pequenas aeronaves. Com exceção das minas controladas por grandes grupos, como a BP Mineração e a Cesbra, o ambiente em áreas produtivas de mineração é invariavelmente hostil e violento, com pouca ou nenhuma estrutura urbana. Não é raro, por exemplo, cruzar com gente carregando uma arma na cintura. As imagens dos formigueiros humanos de Serra Pelada, que correram o mundo naquela época, dão ideia do cenário que às vezes eu encontrava nas viagens, embora numa escala menor.

Aos olhos da opinião pública, Serra Pelada simbolizava todos os garimpos, como descobri em uma madrugada ao receber um telefonema direto de Londres, sede da BP. Eu já estava na Cesbra, que também pertencia ao grupo britânico. Do outro lado da linha, um executivo em pânico. Um jornalista inglês visitara as minas da região Norte do Brasil e acabara de publicar uma reportagem acusando a British Petroleum de atuar no país sem licença ambiental, devastando a floresta amazônica. Além disso, a matéria afirmava que as condições de trabalho nas minas eram desumanas e relatou casos de garimpeiros agredidos pelos seguranças.

O que não se esclarecia, porém, era que vários dos locais citados no texto (os mais precários, aliás) não tinham relação nenhuma com a BP. Alguns ex-funcionários da companhia transmitiram informações que não foram devidamente checadas antes da publicação. Por isso, a repercussão estava sendo devastadora para a empresa. "Vai apurar o que aconteceu", pediu o executivo inglês.

Se não bastasse a pressão de Londres, o governo brasileiro entrou na história por intermédio de Fernando César Mesquita, de muita influência política e militante na área ambiental. Então porta-voz do presidente da República José Sarney e um dos idealizadores do Ibama, ele fazia da ecologia uma de suas bandeiras políticas. Assim que a reportagem foi publicada, pediu esclarecimentos para a companhia. Com sua proximidade do poder, poderia criar muitos problemas, pedindo mais fiscalizações, aplicando multas e utilizando o caso como bandeira política.

Avisei a direção da BP sobre os diversos riscos. Imediatamente a empresa liberou uma verba de 100 mil dólares para coordenar uma ação que esclarecesse a opinião pública e o governo brasileiro sobre as reais condições das minas exploradas pela BP. Em questão de dias, montei uma operação de emergência. Aluguei dois helicópteros que partiriam de Porto Velho e nos deixaram em uma mina da Cesbra, no município de Ariquemes. Convidei o embaixador inglês no Brasil para ter uma testemunha independente e insuspeita que pudesse reportar o que acontecia de fato no local.

Além dele, incorporamos à comitiva formadores de opinião, como jornalistas e especialistas em meio ambiente, e Fernando César Mesquita. Ele estava furioso, menos com o barulho em torno do caso e mais por uma multinacional ser a protagonista do episódio. Lá pelas tantas ele, sentado ao meu lado, disse: "Essas multinacionais são todas pilantras; você é um pilantra". Eu respondi: "Eu não tenho nada para esconder e vou falar a verdade. Se algo estiver errado, vamos consertar. Se estiver certo, está certo".

Quando chegamos, os convidados ficaram surpresos ao ver a infraestrutura que funcionava lá — uma vila com quatrocentas casas, cerca de 1500 habitantes, escola, hospital, supermercado, corpo de bombeiros e até uma "sala de cinema" com televisão e aparelho de vídeo cassete. Justamente naquele dia havia algum tipo de festividade na escola, relacionada a uma data comemorativa regional. Tudo enfeitado, e a criançada na maior alegria. O Fernando César não se conformou: "Você montou este circo". Minha resposta foi: "Desculpa, eu não montei porcaria nenhuma. Esta é a realidade. Temos todas as licenças ambientais e criamos uma pequena cidade no meio do mato".

Depois dos primeiros dias e do impacto inicial, o assunto começou a murchar até desaparecer. Nunca mais encontrei Fernando César Mesquita e só tive notícias dele novamente em outubro de 2015, quando a Polícia Federal realizou uma busca e apreensão de documentos em sua casa durante a Operação Zelotes. Do episódio com a imprensa inglesa, restou a certeza da necessidade de agir com celeridade em situações de crise. Os danos de uma decisão precipitada, nesse caso, geralmente são menores do que os prejuízos decorrentes da inação. Também aprendi que a percepção pode ter efeitos tão fortes quanto a realidade, mesmo que uma esteja distante da outra.

Como expliquei, a reportagem do jornal inglês partia de fatos reais do garimpo (condições desumanas de trabalho, falta de licenças ambientais etc.) que não diziam respeito em absoluto à Cesbra e suas minas. Mas no texto ficou tudo junto e misturado e, dessa forma, a crise estava instalada. A resposta que demos também mostrou qual a atitude correta para a relação com a imprensa: transparência.

Nos quase quatro anos de autuação no setor de mineração, fiz minha estreia na imprensa com artigos e entrevistas. Nunca mais parei, e construí um ótimo relacionamento com os jornalistas. A regra básica é nunca ignorar e-mails, mensagens ou ligações ou deixar uma solicitação sem resposta, mesmo que seja para explicar que, naquele momento, não é possível dar uma resposta.

Também nunca me furtei a dar minha opinião, independentemente do grau de polêmica que possa gerar. Em 1987 e 1988, quando a Assembleia Constituinte discutia a presença ou não de multinacionais na mineração, expus com clareza minha posição favorável ao investimento estrangeiro, enquanto presidentes de empresas concorrentes mantinham silêncio.

É erro comum. Empresas fazem parte de um ecossistema — elas impactam e são impactadas por fornecedores, clientes, autoridades, comunidades onde estão instaladas etc. Não são organizações isoladas do mundo e não se bastam por si mesmas. O contato permanente com os outros elos da cadeia é parte integrante do negócio. De certa forma, as teses defendidas pelas mineradoras na Constituinte foram derrotadas pelo isolamento que as companhias impunham a si mesmas. Afinal, como a sociedade poderia aceitar nossas ideias se nem ao menos as conheciam? No artigo escrito para o *Jornal do Brasil*, adverti para os efeitos dessa postura:

> O empresariado do setor mineral, por se distanciar da sociedade, recebeu da Constituinte o que merece. Entretanto, não é mais hora de

chorar; devemos agora mudar a postura e partir para a tarefa maior de evitar que os segmentos sociais menos favorecidos paguem a fatura do irrealismo constitucional.

É claro que há riscos na postura aberta que adoto, sobretudo com jornalistas. Qualquer ação (de um investimento bilionário na expansão de uma companhia a travessia de uma rua) implica numa dose maior ou menor de risco. A imprensa tem valores e princípios próprios, diferentes de outros setores da economia e, muitas vezes, pouco compreendida por empresários e executivos. Seu compromisso é com os leitores. Em última instância, são eles que dirigem o trabalho de repórteres e editores. Ouvi muitos homens de negócios e autoridades se queixarem de reportagens, por não atenderem a seus interesses. Já na visão da mídia, a reportagem cumpriu o papel, pois serviu ao seu cliente, o leitor.

Não tive ao longo dos anos grandes problemas com jornalistas, já que sempre optei pela transparência e sinceridade no convívio com esses profissionais. E, da mesma forma, recebi em troca transparência, sinceridade e boa vontade em ouvir minhas opiniões. Os mesmos valores valem para o relacionamento com outros públicos, mesmo que sejam seus rivais. O diálogo surpreende e pode transformá-los em aliados.

"Você é macumbeiro?"

"Você não está assumindo um negócio na UTI. Está assumindo um defunto. E vai ter que ressuscitá-lo." A avaliação de Noevaldo Teixeira, o geólogo que conheci na BP Mineração, nada tinha de alentadora. O negócio a que ele se referia era a Cesbra, dona de algumas minas de cassiterita em Rondônia. Eu acabara de me tornar o presidente da empresa, o que significou uma mudança de emprego sem sair de casa, já que a BP Mineração tinha participação acionária na companhia.

Não havia exagero no comentário de Noevaldo. Boa parte das minas estava exaurida, o que impactava negativamente o fluxo de caixa. A empresa sofria com a invasão de grileiros em suas terras e a competição do garimpo ilegal, que utilizava métodos de extração rudimentares. A prática provocava um passivo ambiental irrecuperável dentro do território sob responsabilidade da Cesbra e caía na conta da empresa.

Por conta disso, o aparato de segurança era reforçado por um contingente de trinta a cinquenta homens, que agia como um corpo policial. Quando assumi a empresa, havia inclusive um cárcere privado em função dos confrontos com garimpeiros e invasores. Minha primeira decisão foi acabar com essa barbaridade. Logo desenhamos um plano para reforçar a verticalização da empresa, reduzindo a venda da cassiterita pura, a matéria-prima, e aumentando as vendas do produto final, as ligas de estanho, agregando valor ao negócio. Nesse processo, o quadro de pessoal seria reduzido.

O plano previa ainda iniciativas para minimizar os conflitos locais. Apelamos para a Justiça para a retirada dos grileiros de nossas áreas e, em alguns casos, pagamos para que deixassem as terras. Os garimpos clandestinos eram um problema mais agudo, pois causavam insegurança nas minas e prejudicavam os resultados financeiros. Embora "vizinhos" no território, a empresa e os garimpeiros cultivavam um distanciamento hostil. Pior: havia outros grupos clandestinos disputando o mesmo espaço.

Resolvi conversar com o principal líder deles, uma atitude inédita entre os executivos da BP e desaconselhada pela equipe de segurança. Como mantive a decisão, designaram três guardas para me acompanhar. Havia, segundo eles, até a ameaça de um sequestro. Recusei o apoio. "Deixa que eu vou sozinho", determinei.

Quando cheguei, passei um dia sondando o local no distrito de Aurizona, no Maranhão. No segundo dia, procurei o chefe do garimpo. Seu "escritório" funcionava numa tenda. Caixas de madeira e alguns sacos empilhados faziam as vezes de cadeiras e quando, me sentei diante dele, pensei: "Caramba, como vou fazer para evitar briga com esse homem?". Aí, tive uma ideia e sugeri: "Olha, o que interessa para vocês é o aluvião, a exploração nas camadas da superfície. O que nos interessa é a mineração mais profunda. Então, você fica com o aluvião e nós não vamos incomodar os garimpeiros. E vocês não interferem na nossa estrutura. Mas tem uma condição: você se acerta com os demais grupos de garimpeiros". Além disso, propus: "Você e sua turma podem comprar no nosso armazém pelo mesmo preço que os funcionários da BP. Podem também utilizar o serviço médico, pois temos médicos, enfermeiros e até um pequeno hospital de campo".

Para a empresa, havia um ganho financeiro, porque mantínhamos um batalhão de quarenta a cinquenta homens para conservar a integridade do local. Com o acordo reduziríamos os custos, a insegurança e os prejuízos com a concorrência predatória. A essa altura, eu e o líder dos garimpeiros já estávamos fumando o cachimbo da paz. Dei então a última cartada. "Você tem uma pepita de ouro?", perguntei. "Quero comprar." Ele respondeu que arrumaria uma para mim. Abri a carteira e entreguei um valor razoável. "Não precisa me pagar agora. Me paga depois", ele disse. Mas insisti: "Assim eu saio daqui e você fica devendo para mim". Foi quando ele perguntou: "Você é macumbeiro?".

Aquele ambiente caótico no meio da selva dava margem para crenças e um certo misticismo. O garimpeiro estava intrigado com minha visita e a confiança que eu demonstrava nele. Nunca um executivo da empresa tinha visitado seu "escritório", e muito menos negociado com ele. Então pensou que pudesse haver alguma mandinga ou algo do tipo naquela iniciativa. "Não; sou católico", respondi. Minha partida estava marcada para o dia seguinte às seis da manhã. Às cinco e meia, ele apareceu e entregou a pepita. "Toma. Agora não te devo mais nada."

Quase quarenta anos se passaram, e até hoje carrego a pepita no pescoço como um talismã. Tempos depois, eu a batizei de Tieta. Não sei exatamente o motivo, mas acho que fui influenciado pela telenovela baseada no livro de Jorge Amado, a qual fez muito sucesso no final dos anos 1980. Macumbeiro, não sou; supersticioso, sim.

Histórias místicas corriam a região e abriam espaço para lendas. Certa vez, me disseram que havia um jacaré num lago próximo a um canteiro de operações. Fui até o local e não era lago nem lagoa —

parecia mais uma grande poça d'água. Meti o pé no barro e, passo a passo, entrei na água e logo vi um filhote de jacaré, de no máximo cinquenta centímetros de comprimento. Apanhei-o com certa facilidade e mostrei aos funcionários. Um deles falou: "Nossa, o presidente pega jacaré à unha!".

O feito se espalhou e, cada vez que alguém o relatava, o jacaré aumentava de tamanho. Meses depois, em uma viagem a Londres, executivos ingleses da BP comentaram a história. A essa altura, o bicho já tinha alguns metros de comprimento, os gringos admiraram minha coragem e destreza e me apelidaram de "Alligator Dundee", numa referência a um filme de muito sucesso na época, *Crocodilo Dundee*. A versão passou a ser mais verdadeira do que a realidade.

Mas o que faltou em certo momento foi paciência para aceitar as amarras que meus chefes da Cesbra pretendiam colocar no plano de saneamento da empresa. Eles se incomodavam com a proposta de redução de pessoal e não viam com bons olhos as negociações com garimpeiros, embora isso resolvesse muitos problemas. Um dia, sentei a uma mesa e escrevi meu pedido de demissão dizendo o seguinte: "O caminho que eu escolhi é esse, mas não estão me permitindo e não quero ir pelo outro caminho". Anexei uma cópia do poema do Robert Frost e despachei a carta para meu chefe.

Foram pouco menos de quatros anos na mineração. Meu prazo de validade nas empresas raramente supera dois ou três anos. Não é uma questão temporal, mas sim relacionado à dinâmica do trabalho. Jorge Luis Borges, o famoso escritor argentino, escreveu que "não se pode medir o tempo por dias, como o dinheiro por centavos ou pesos, porque pesos são iguais e cada dia é diferente e talvez cada hora".

Meu tempo é mensurado pela intensidade do que faço e pelos objetivos que vou alcançando. Quando as coisas se tornam mais estáveis, não consigo continuar. É a opção mais difícil, mas, como diz o poema de Frost, prefiro sempre o caminho menos batido, menos conhecido. Isso explica por que decidi empreender num negócio improvável: o *factoring*.

Pit stop

Foi um período curto (cerca de seis meses) num setor arriscado (o financeiro) e numa região improvável (uma cidade do interior de Mato Grosso). Mas dessa forma recomecei minha carreira depois da Cesbra. Meu filho Luiz Claudio vivia em Rondonópolis, que começava a ser conhecida como a capital da soja no Centro-Oeste do país. Ele cuidava de uma fazenda que tinha comprado. Em conjunto com um conhecido, abrimos uma *factoring*. A definição do *Dicionário de administração e finanças*, de Paulo Sandroni, é a seguinte: "Atividade pela qual uma instituição financeira especializada compra e administra as duplicatas de outras empresas ou outros títulos a receber, inclusive cheques pré-datados".

Assim, a matéria-prima da *factoring* é dinheiro — e isso eu tinha, graças à boa indenização que recebi da Cesbra. Como a região de Rondonópolis crescia rapidamente, impulsionada pelo agronegócio, enxergamos ali uma oportunidade de negócio. Meu envolvimento cresceu a ponto de me tornar vice-presidente da associação das empresas do setor, a Anfac.

Começamos bem. Em certo momento, contudo, eu e Luiz Claudio nos afastamos do negócio — eu voltando ao mercado de trabalho, e ele absorvido pelo dia a dia da fazenda. Nosso sócio passou a tocar a *factoring* sozinho. Não deu certo. Por certa ingenuidade, ele comprou créditos duvidosos, que dificilmente receberia.

Logo o prejuízo apareceu. Não lembro de valores, mas perdemos o suficiente para tomar um susto e dar um basta. Encerramos a atividade menos de um ano depois de inaugurá-la. Desse breve pit stop ficou uma lição: quando o negócio começar a fazer água, é melhor fechar as portas e assumir logo o prejuízo para estancar a sangria. Àquela altura, não tive muito tempo para me preocupar com o assunto, porque todas as minhas energias já estavam sendo consumidas pela empresa que me colocaria de vez no mercado de transformação e reestruturação empresarial, a Cecrisa.

CAPÍTULO 3

Cecrisa

Sentado à minha frente, Manoel Dilor de Freitas não escondia a desconfiança em relação ao meu perfil. Ele procurava um presidente para a Cecrisa, a fabricante de pisos e azulejos que pertencia à sua família, e não estava seguro se eu era o nome certo para ocupar a posição. "Será que seu perfil não é mais adequado para a diretoria financeira?", perguntou Dilor, como todos o chamavam.

Respondi que naquele momento, abril de 1991, com 50 anos de idade e a experiência profissional acumulada até então, eu me encontrava num patamar "sênior" da carreira. A seguir, descrevi minha trajetória. Quando contei que havia "quebrado" e que minha empresa, a Armaq, entrara em concordata, ele me interrompeu: "Você é a pessoa que precisamos", disse.

Logo em seguida, um sobrinho de Dilor, presente à reunião, fez uma pergunta capciosa, ainda que em tom de brincadeira. "Com sua idade, você acha que terá pique para conduzir a Cecrisa?" Respondi no mesmo espírito brincalhão: "Não tenho dúvida. Não sei se você terá pique para me acompanhar".

Em entrevistas de emprego, executivos detestam falar dos pontos baixos de sua carreira. Todos só colecionaram sucessos, nunca tomaram uma decisão errada na vida, jamais tropeçaram e "têm sido campeões em tudo", como escreveu Fernando Pessoa. Se algo não deu certo, a responsabilidade foi da conjuntura econômica, da perseguição dos colegas, da incompreensão dos chefes, e por aí vai. Não costumam entender que as turbulências e os erros se constituem em importantes ativos da carreira. O que lhes falta é humildade, coragem e sabedoria para extrair desses momentos lições mais preciosas do que os louros das passagens bem-sucedidas. As dificuldades têm algo de didático, e delas podemos sair mais calejados, fortes e preparados.

Sempre considerei que a concordata da Armaq se transformou em um trunfo para meu desenvolvimento profissional. E foi o que convenceu Dilor a me contratar, por perceber que eu saberia exatamente o que ele sentia diante de tal desafio. A Cecrisa vivia o momento mais crítico de sua história. Em fevereiro de 1991, dois meses antes de minha contratação, a empresa entrara em concordata, vergada por dívidas de 160 milhões de dólares, uma das maiores da história corporativa do país até aquela época. Considerada a maior fabricante de produtos de cerâmica do mundo, a empresa, com sede em Criciúma, no sul de Santa Catarina, faturava 300 milhões de dólares ao ano e empregava 6 mil pessoas em nove fábricas. A família Freitas possuía ainda negócios em outros setores, como a Rede de Comunicação Eldorado, RCE, que controlava estações de rádio, jornais e emissora de TV.

Assim como acontece com boa parte das empresas familiares, a origem dos problemas da Cecrisa residia no crescimento acelerado e em erros de gestão repetidos ao longo de décadas. Anos antes da concordata, concluíra um investimento de 80 milhões de dólares numa nova unidade produtiva para lançar uma linha de revestimentos para consumidores de alta renda, a Portinari, até hoje uma marca de muito prestígio. Logo depois, em março de 1990, viera o Plano Collor e, com ele, uma recessão brutal que derrubou a economia e deixou a nova planta industrial com uma capacidade ociosa superior a 60%. Nos meses seguintes, o endividamento cresceu sem parar e levou a companhia à concordata.

Por isso, o que mais atraiu Dilor foi minha experiência de concordatário. Se no Conselho Nacional do Sesi dei os primeiros passos em processos de ajustes no quadro de pessoal, na Cecrisa me vi diante da necessidade de promover uma virada no negócio em todas as suas frentes: financeira, comercial, industrial, administrativa etc. E me deparei, pela primeira vez, com variáveis que encontrei depois nas dezenas de companhias que ajudei a reestruturar — e que residem mais no campo da psicologia do que no da administração, como a resistência dos empresários em admitir os problemas que estão à vista de todos.

Cinco mitos e um sentimento

Ao sair à caça de um executivo no mercado, Dilor Freitas havia superado uma das etapas cruciais para a solução de uma crise: a negação. Esse processo se manifesta na forma de "mitos", que não passam de justificativas (falsas ou parcialmente reais) para o enrosco em que se metem as empresas.

Primeiro mito: diante dos primeiros sinais de dificuldades, os empresários buscam as causas fora da empresa. Não admitem que as coisas saíram dos eixos e que os problemas se acentuaram sem que fossem enfrentados. Sempre há uma boa explicação: o controle de preços, a concorrência desleal, a política econômica do governo, a chuva que caiu (ou deixou de cair) etc. Então pergunto: se os fatores externos são os causadores dos transtornos, por que outras companhias do mesmo setor não se enrolaram no mesmo nível?

A maioria das empresas não utiliza os relatórios gerenciais adequados para acompanhar a evolução do negócio. Os balanços tradicionais atendem à demanda dos investidores e à legislação do mercado de capitais. São retratos do momento. O gestor, contudo, necessita não da foto, mas do filme (ou seja, os relatórios mensais) para tomar as decisões corretas. Com isso, os executivos sabem já no primeiro mês que as coisas não vão bem. No segundo mês, às vezes até arrumam uma desculpa. Aí eu digo o seguinte: nenhuma empresa que apresenta de dois a três meses de resultados ruins pode se acomodar. Não se deve demorar a agir. Como falei anteriormente, a inação é mais danosa do que uma decisão equivocada. O empresário tradicional aguarda mais um pouco, se apega a uma esperança difusa, um *milagre* que não sabe de onde virá, mas que resolverá tudo. É a fase da negação, na qual não se aceita a realidade escancarada à sua frente.

Segundo mito: acreditar que o problema é exclusivamente financeiro. Nessa linha de raciocínio, basta arrumar dinheiro e tudo entrará nos eixos. Finança ruim é sintoma, e não causa. Um novo empréstimo ou aporte de capital não vai solucionar o problema, porque sua origem não foi atacada, só o efeito. É como uma represa — tapa-se um buraquinho ali, outro aqui, mas, sem reduzir a pressão da água, o vazamento continua. Além disso, esse é o primeiro dinheiro a ir embora. Por quê? Porque não tem outro. Uma nova injeção de capital ou um novo empréstimo só valem a pena quando a companhia já iniciou o *turnaround*, porque os buracos na represa já estão sendo tapados.

O terceiro mito prega o seguinte: "Se aumentar a produção ou as vendas, abasteço o caixa da companhia, pago as dívidas e, pronto, recupero a saúde da empresa". Essa lógica ofende a aritmética básica. Se o custo é maior do que o preço de venda, quanto mais for produzido e vendido, maior será o prejuízo. O aumento de produção requer contratação de mais gente, compra de matéria-prima, entre outras despesas que aumentam a necessidade de capital de giro. Enfim, o crescimento, nesse cenário, só piora a situação.

O quarto mito consiste numa espécie de fuga. O empresário mergulha no dia a dia e deixa de lado os grandes problemas de longo prazo. Por exemplo: preocupa-se com a temperatura do cafezinho e demora a traçar um plano para renegociação da dívida ou ajuste do quadro de pessoal. No final do dia, sente um alívio enorme, pois trabalhou muito. Só que não resolveu nenhum dos problemas.

O quinto mito parte de uma premissa clássica e amplamente disseminada: "Minha empresa é diferente". É claro que cada companhia tem sua própria história e, por tabela, sua cultura. Existem também as características do setor e da região geográfica onde está instalada, entre outras variáveis. As raízes dos problemas, no entanto, são as mesmas: erros de gestão e demora em tomar decisões difíceis e incômodas, como fechamento de fábricas, redução nos investimentos, enxugamento das linhas de produtos ou resolução das pendências entre sócios.

Vencidos esses "mitos", o empresário sente-se à vontade para procurar gente que possa ajudá-lo a colocar a empresa nos trilhos. Não abandona, porém, um sentimento com o qual o especialista em *turnaround* e reestruturações terá que conviver: a vaidade e o ego do dono, um tema que precisei administrar na maioria das companhias em que trabalhei.

Mudança visível

Em função do enrosco financeiro em que se metera, a Cecrisa carregava um enorme endividamento, sobretudo nas áreas fiscal e trabalhista. Como presidente, eu poderia responder na Justiça por esses débitos, inclusive com meus bens pessoais. Para evitar o risco, em vez de presidente, fui nomeado superintendente não estatutário, com uma procuração de Dilor me concedendo amplos poderes na gestão. Ao mesmo tempo, adotei alguns cuidados extras, sobretudo na assinatura de documentos. Por exemplo, todas as decisões que poderiam implicar questionamento judicial recebiam um visto ou a assinatura de Dilor, e eu referendava com a expressão "ciente" — nunca colocava "de acordo" ou "aprovado".

Nada disso tirava de minhas mãos a ferramenta mais importante para minha tarefa de salvar o negócio: a carta branca para tomar decisões duras. Não basta combinar com o acionista. No transcorrer do *turnaround*, ninguém na empresa pode ter dúvidas sobre a divisão de responsabilidades e quem conduzirá a reestruturação. Caso contrário, a credibilidade irá para o espaço, tanto em relação ao diagnóstico como à execução do plano de ação. Nessa fase, a simbologia é uma aliada preciosa. É necessário criar símbolos visíveis, impactantes e de fácil compreensão para transmitir a mensagem de que as coisas efetivamente vão mudar.

Já no primeiro dia, Dilor insistiu que eu me instalasse no escritório dele, um espaço amplo que, além da mesa de trabalho, abrigava um sofá e poltronas confortáveis para receber visitas. Ele passou a ocupar uma pequena sala ao lado e manteve o posto de presidente do conselho de administração. Tudo combinado previamente. O recado era o seguinte: o dono da Cecrisa chamava-se Dilor, mas Galeazzi tinha delegação e poder para fazer o que fosse necessário para recuperar a empresa.

No fundo, os empresários não aceitam bem essa situação — e não me refiro apenas à Cecrisa. Ameaçados pelo risco de concordata e até mesmo falência, eles admitem a necessidade de mudança, têm consciência de que não há outro caminho e dizem que as coisas precisam ser radicalmente diferentes. Esse é o discurso racional, da boca para fora. Mas, no íntimo, pensam da seguinte forma: "Vamos mudar tudo, desde que não mudemos nada", como se parafraseassem o escritor italiano Giuseppe Tomasi de Lampedusa em seu livro clássico *O Leopardo*.

Apegados a um forte sentimento de posse, os empresários veem a presença de um forasteiro como uma contestação de seu poder. O pedido de socorro a um profissional especializado em *turnaround* fere sua vaidade e seu orgulho. Eles resistem a admitir que não se encontram, naquele momento, à altura do desafio de salvar o próprio negócio. Não compreendem uma das leis do mundo dos negócios: os fatores que garantiram o sucesso da empresa no passado não são um salvo-conduto para o êxito do futuro.

As recaídas são recorrentes. Por isso, à medida que o trabalho de transformação avança, torna-se inevitável a emissão de sinais para lembrar ao próprio empresário que a gestão foi delegada por ele a um profissional especializado em crises. A relação com os acionistas assemelha-se a uma parábola que ouvi sobre a cabra montanhesa. Com uma capacidade extraordinária de escalar as encostas mais íngremes, o bicho gosta de se instalar no cume de montanhas rochosas, onde mal há espaço para suas quatro patas. Pois um pastor, com enorme esforço, puxa a cabra e a coloca junto dele. Minutos depois, aproveitando-se de um instante de desatenção, o bicho se encastela novamente no topo. Bem, a cabra é o dono da empresa; o pastor, o especialista em *turnaround*.

A tensão entre os dois é permanente, e o pastor vive puxando a cabra para o seu lado. Durante minha permanência na Cecrisa, enfrentei a situação diversas vezes. Dois meses depois de assumir a superintendência, por exemplo, elaborei uma lista com nomes de pouco mais de vinte diretores e gerentes sêniores a serem demitidos em função de baixo desempenho, resistência às mudanças ou incapacidade técnica — ou de tudo isso junto. Um movimento dessa dimensão numa empresa familiar requer cautela. Funcionários de alto escalão são veteranos que conhecem a fundo a organização e têm acesso a informações sigilosas. Como se diz no jargão corporativo, eles "sabem onde os cadáveres estão enterrados e foram testemunhas dos crimes".

Procurei Dilor e mostrei a relação: "Dilor, preciso demitir este pessoal e queria sua opinião". Ele examinou os nomes e respondeu mais ou menos o seguinte: "Esse não. Foi o meu colega de juventude, estudamos juntos etc. Este, também não, pois é amigo de Fulano". E assim por diante até vetar cinco das vinte demissões propostas. Não ouvi uma justificativa lógica e com base técnica.

Depois de quatro horas de reunião com ele, lá pelas oito da noite, fui para o hotel. No dia seguinte, chamei cada um dos cinco executivos e os demiti, um atrás do outro. Quando soube, Dilor ficou possesso. Tentei argumentar: "Não tem jeito, Dilor, esses caras não contribuem; só atrapalham". Ele insistiu: "Não, isso não pode". Fui obrigado a rebater um ultimato: "Dilor, é muito simples: ou você aceita ou você me manda embora".

Sem saída, ele ficou com a primeira opção. Mostrei claramente que tínhamos que tomar decisões amargas, mas também necessárias para o bem da companhia. A partir desse acontecimento, estabeleci uma espécie de regra de ouro para os trabalhos de reestruturação ou *turnaround*. Assim que chegar à companhia, é necessário identificar os "insubstituíveis", aqueles profissionais que possuem conhecimento dos números e a memória da empresa, mas não os dividem com ninguém. Dessa forma, retêm o poder e aparentemente se tornam imprescindíveis para o funcionamento da organização.

Eles serão os primeiros demitidos. Não se trata apenas de delimitar o terreno. Executivos com essa postura se tornam (ou já se tornaram) os principais focos de resistência às mudanças necessárias à sobrevivência e posterior recuperação da empresa. Logo surge uma série de argumentos para não promover um corte tão extremo. A memória da empresa não se perderá? A operação não será afetada, já que esse pessoal sabe apertar os botões certos? As equipes internas não se sentirão inseguras?

A resposta para todas as perguntas é "não". Os "insubstituíveis" funcionam como a tampa de uma panela de pressão e, dessa forma, impedem que novas ideias e opiniões divergentes aflorem. Afinal, se dessa forma preservam o emprego, o poder e o prestígio, por que apoiariam a renovação? O principal objetivo deles é manter o status quo, sem perceber que em algum momento a tampa da panela não suportará a pressão. Destampando a panela é possível descobrir que as soluções estão dentro de casa. Eu me refiro, sobretudo, ao nível intermediário no organograma das organizações — são gerentes e supervisores sufocados em sua criatividade pelo ambiente de acomodação que os "insubstituíveis" representam tão bem. Normalmente essa maioria silenciosa sabe o que fazer e como fazer — só que é tolhida e não encontra espaço para implementar. Aí entra o papel do reestruturador. Mais de 90% dos processos de transformação que conduzi foram bem-sucedidos porque estimulei a participação desse pessoal.

A identificação e o afastamento dos "imprescindíveis" requerem determinação e agilidade. Não podem, porém, ser indiscriminados. Há "insubstituíveis" que, bem orientados, se tornam aliados importantes, mesmo que não saibam disso. Na Cecrisa, era Asdrúbal. O nome é fictício; o personagem era real.

Asdrúbal era um antigo colaborador da empresa, simpático e bom caráter, mas sem disposição para "chacoalhar a roseira", como dizíamos. Na verdade, sem vontade nenhuma para trabalhar. Por outro lado, era um homem de total confiança dos acionistas, perfeito para o papel de mensageiro. Sim, porque, onde há um dono, há também um mensageiro, responsável por levar informações da base para o topo da pirâmide empresarial. É a voz que sussurra para o acionista o que acontece nos meandros da organização. Assim era Asdrúbal, o mensageiro de Dilor (um dos integrantes do meu time o chamava de pombo-correio). Quando sugeriram incluí-lo na lista de demitidos, reagi: "Espera aí. Com ele, temos um canal de comunicação com o dono. Vamos trazer esse cara para o nosso lado e chamá-lo a participar das decisões. Quando eu enviar a decisão para Dilor, Asdrúbal tratará de defendê-la, já que participou de sua elaboração".

Para ilustrar, eu citava um filme da década de 1970, *O vento e o leão*, com Sean Connery e Candice Bergen. Ele é um xeique árabe que em certa passagem chega a um oásis com árvores frutíferas de sua propriedade. Três servos o recebem de joelhos. Ele saca a espada e corta a cabeça de um deles. Um garoto que o acompanha pergunta, assustado: "Por que você fez isso?". Ele responde: "Porque roubaram minhas frutas". O menino questiona: "E como você sabia que foi ele?". E a explicação é: "Eu não sei. Mas, se matasse os três, quem iria cuidar do pomar?".

Não, nunca decapitei pessoas, e sequer pensei nisso. Com o filme, quero exemplificar que não se rompe de forma leviana os canais de comunicação informais existentes em qualquer empresa. Batizamos a tática de "Efeito Asdrúbal" em homenagem ao nosso amigo mensageiro e, desde então, a utilizamos nos projetos de reestruturação. Antes de implantar alguma medida mais drástica, sondávamos o terreno com Asdrúbal e, por tabela, com os acionistas. Podíamos fazer ajustes, desde que não comprometessem os objetivos. Caso contrário, o confronto ocorria, como ocorreu com a demissão dos diretores.

O líder de um processo de transformação não pode compactuar com o ambiente de acomodação que, em geral, domina empresas em situação de risco. Esse espírito se espalha por todas as áreas, e é a principal fonte dos problemas. O que muitos empresários consideram as causas da crise de seus negócios são na realidade sintomas de uma gestão ruim: endividamento, fluxo de caixa negativo, queda nas receitas, perda na participação no mercado, entre outros indicadores financeiros. Com o tempo, os sintomas se agravam tanto que ganham vida própria e geram novos problemas. Portanto, o *turnaround* exige atuação firme em todas as áreas da companhia. É necessário atuar em duas frentes: uma no caixa da empresa; outra em sua alma. Na primeira, o objetivo é amenizar os problemas financeiros, restabelecendo o fluxo de caixa; na segunda, criar uma mentalidade mais dinâmica na organização.

Nas empresas familiares, há um ingrediente extra: são os donos, em geral, quem cria essa cultura e a alimenta continuamente. Um dos exemplos mais visíveis reside na confusão entre as finanças da família e da empresa. Além de ser um péssimo exemplo para os gestores, a prática se transforma num ralo por onde escorre o dinheiro da empresa, pressionando os custos.

Assim como procedi em outras companhias familiares, na Cecrisa procurei mudar esse comportamento. Uma das primeiras providências foi interromper a compra de ração para gansos. Sim, gansos. Dilor tinha uma criação dessas aves, importadas da Itália. A Cecrisa bancava a alimentação. Não me lembro dos valores (o real sequer existia na época), mas a conta atingia o equivalente a alguns milhares de dólares anuais.

A empresa deixou de arcar com essas despesas. Mais complicado foi mexer com o helicóptero e o jatinho bancados pela Cecrisa. A família os utilizava intensamente, tanto para compromissos profissionais como para viagens de lazer. Encostá-los num hangar seria contraproducente. Como piloto, eu sabia que avião parado é sucata, pois se deteriora rapidamente. E também precisava dar uma saída honrosa para os familiares. Então, combinei com Dilor que ele receberia um valor para cobrir parte das despesas com as aeronaves, diminuindo o prejuízo da companhia.

Havia nisso um ganho extra. A decisão mostrava para os funcionários que a proposta de mudança na cultura não comportava concessões e valia para todos, o que levantava o moral e combatia um dos comportamentos mais negativos que surgem em empresas mergulhadas em dificuldades: o cinismo. Certa vez, logo que cheguei à Cecrisa, vimos, eu e alguns diretores, um familiar embarcar num helicóptero com a mulher e seus cachorrinhos. Imediatamente ouvi o seguinte comentário: "Você vê? Aqui, cachorrinho anda de helicóptero; e nós, não".

Não faz sentido pedir a colaboração dos funcionários para recuperar um negócio se os líderes mantêm hábitos incompatíveis com um quadro em que o caixa secou. Sempre que podia, eu dava o exemplo. Certa vez, na véspera de uma reunião no BNDES, no Rio de Janeiro, Dilor me ofereceu uma carona no jatinho. Agradeci e recusei — embora qualquer voo seja um prazer para mim, um apaixonado por aviação.

Dirigi meu carro até Florianópolis e de lá embarquei em um voo de carreira para o Rio. Era mais barato, e eu não podia aceitar gastos desnecessários para a empresa. Dilor demonstrou sabedoria ao entender rapidamente a nova realidade e se adaptar a ela. Claro que continuou a utilizar o jato e o helicóptero e alimentar os gansos, mas pagava boa parte dos gastos do próprio bolso. A batalha mais dura, porém, foi no campo das ideias, como regras que impediam a contratação de certas pessoas.

Barbudo não pode

A Cecrisa precisava de um executivo com experiência, boa formação, capacidade de execução e agilidade na tomada de decisões. Sua função seria cuidar das finanças e da controladoria. Com ajuda de um *headhunter*, encontrei o profissional certo. Seu nome: Glauco Abdala Lima. Detalhes acertados, pedi ao departamento de recursos humanos para cuidar dos trâmites da contratação. Logo o funcionário voltou: "Temos um problema. Existe um impedimento para contratar Glauco". "Qual o impedimento?", perguntei. "Ele tem barba." Eu questionei: "E daí?". A resposta foi: "Aqui tem uma regra: não podemos contratar gente que trabalhou em mineração e barbudos. Como vamos fazer?".

Não havia nenhuma explicação razoável para a restrição, a não ser uma implicância por parte da antiga direção. "A barba dele é tratada? É *clean*?" A resposta era sim. Então, preferi não perder tempo tentando entender a lógica daquilo e determinei: "É fácil. Muda a regra". E assim foi feito. Um paradigma importante foi quebrado e, sem que soubesse, eu acabara de conhecer meu futuro sócio e iniciara a construção do que seria o núcleo duro da Galeazzi & Associados, a empresa de consultoria em reestruturação de negócios que fundaria dali a alguns anos. Glauco Abdala, ex-diretor da Souza Cruz, abandonara a carreira de executivo, mudara para Santa Catarina e se dedicara à criação de camarões em cativeiro numa área de cinquenta hectares em Florianópolis. A sanha empreendedora havia passado, e ele planejava voltar à vida corporativa justamente quando recebeu o convite da Cecrisa.

Discreto e disciplinado, Glauco era a pessoa certa para dar um jeito na gestão da Cecrisa, estabelecendo métodos, apertando controles, organizando números, relatórios e balanços. Com sua chegada, passamos a ter um retrato preciso da situação e localizamos os principais vilões em termos de custos. O outro integrante do núcleo duro, encontrei em Goiânia, mais precisamente na Irmãos Soares, uma rede de lojas de material de construção do Centro-Oeste. Numa visita de trabalho, os dois irmãos e donos da companhia pediram que um dos gerentes de compras me acompanhasse.

Paulo Remy era um jovem que me impressionou imediatamente apesar da pouca idade, 25 anos. Fiz uma pergunta sobre importação de pisos e azulejos, e ele engatou uma explanação sobre o mercado. Começou relacionando as desvantagens de trazer esse tipo de produto do exterior e terminou com uma avaliação crítica sobre o portfólio de produtos da Cecrisa, incluindo sugestões de lançamento de novas linhas. Tudo isso exposto com objetividade, lógica e articulação.

Em duas viagens consecutivas a Goiânia, confirmei minha impressão inicial. Ele me convidou para jantar em sua casa, e foi quando conheci sua esposa, Valéria, e o filho recém-nascido, Matheus. Antes de voltar a Criciúma, perguntei se trabalharia comigo na Cecrisa. Ele topou. Antes de formalizar o convite, coloquei o pé no breque. "Esse cara é muito novo", refleti. "Se eu nomeá-lo chefe, a resistência dos *old boys* será muito forte."

Então tracei uma estratégia e apresentei a Dilor, que, apesar de meio ressabiado, apoiou o plano. Paulo foi apresentado na Cecrisa numa segunda-feira. Antes, porém, na sexta-feira, demiti quase todos os diretores da área comercial, inclusive os regionais, e entreguei a casa limpa para que Paulo trabalhasse sem resistências. Nós três (eu, Glauco e Paulo) criamos na Cecrisa o que viria a ser a base da Galeazzi & Associados anos depois. Meus dois parceiros à época tinham perfis totalmente diferentes. Glauco desenhou sua trajetória profissional em grandes grupos multinacionais reconhecidos por modelos de gestão modernos, como Xerox, GE e British Tobacco. Metódico, toma as decisões com base em informações detalhadas e precisas.

Já Paulo Remy começou em empresas familiares de Goiás. Intuitivo, tem um enorme poder de argumentação, uma memória de elefante e, por isso, se revelou um negociador implacável e um profissional orientado para o mercado. Em comum, os dois tinham liderança e carisma — cada um a seu modo. Glauco exerce esse papel de forma mais hábil e suave, conferindo tranquilidade a seu pessoal. Por caminhos diferentes, ambos conseguiram atrair gente que compartilha seus sonhos e objetivos e se une em torno deles.

Prefiro pessoas com esses dois atributos (liderança e carisma) a gênios, porque esse tipo de gestor tem capacidade de mobilização para montar equipes competentes e voltadas para os resultados. Glauco afirma que minha principal capacidade é escolher as pessoas certas no melhor momento para a função ideal. Pode ser. Não tenho uma fórmula para isso ou um modelo de busca e contratação de talentos. É algo intuitivo. Tem dado certo, como demonstram as minhas contratações ao longo da carreira. Na Cecrisa, com suas características complementares, eles se tornaram fundamentais para que a empresa recuperasse seu vigor em menos de dois anos, mas não sem antes passar por um tratamento de choque.

Market oriented

Em 1991, quando assumi o comando, a Cecrisa tinha nove fábricas. Um ano depois, eu e minha equipe havíamos fechado cinco delas. O quadro de funcionários somava 6 mil pessoas — e ficaram apenas 4 mil. Ativos não essenciais, como o jato e o helicóptero e uma fatia de 33% da RCE, foram passados adiante, o que representou uma arrecadação de 22 milhões de dólares.

Abrimos rodadas de negociação com bancos e fornecedores, que incluíram redução nas taxas de juros e descontos nas dívidas acumuladas. Com um dos fabricantes das caixas de papelão que embalavam os produtos, fizemos um acordo: aumentaríamos o volume de compras e pagaríamos os pedidos à vista, se eles reduzissem o preço cobrado da Cecrisa.

Bondade dos fornecedores e dos bancos? Não. Nas conversas, deixamos claro: ou as condições de pagamento se tornavam mais palatáveis ou a empresa quebraria de vez e eles nada receberiam. Com essas medidas, os custos de produção desabaram. Além de dar um refresco ao caixa, atacamos uma das desvantagens da Cecrisa no mercado. Os azulejos e revestimentos da marca tinham preços de 15% a 20% superiores aos dos concorrentes. É preciso ter em mente que o Brasil enfrentava a recessão do início dos anos 1990, e que os consumidores davam prioridade a produtos mais baratos, mesmo sacrificando a qualidade.

Os fabricantes tradicionais do setor (a Cecrisa inclusive) também enfrentavam o advento de um novo polo cerâmico no interior paulista, marcado, naquela época, pela informalidade, sobretudo no que se referia a pagamento de impostos. Diante de tal cenário, a redução dos preços se transformou numa questão estratégica ou, para usar a linguagem popular, de vida ou morte. Parte do corte nos custos de produção foi repassada aos preços.

Ajudava, mas não resolvia. A competitividade só viria com uma mudança de mentalidade. A Cecrisa precisava ouvir dos consumidores que tipo de azulejos e revestimentos eles queriam, ação que o jargão empresarial chama de *market oriented*. Pode parecer óbvio, mas isso representa uma ruptura no modo de pensar e agir das empresas em geral. O senso comum ensina o seguinte: some todos os custos de produção, acrescente os impostos e inclua a margem de lucro. O resultado dessa equação é o preço final do produto. De acordo com esse conceito, é a área de manufatura que define o que produzir, em que quantidade e em qual espaço de tempo. O que orienta as decisões são os custos e o melhor aproveitamento das fábricas.

A Cecrisa padecia desse mal. Certa vez, demos descontos de 30% a 50% para queimar os estoques que atulhavam os depósitos. O diretor industrial reclamou, e o assunto chegou aos acionistas. Um deles veio questionar a estratégia, que a seu ver era uma "destruição de valor da companhia". Com relatórios em mãos, mostrei que havia pisos e azulejos encalhados por quase dois anos, porque, no momento da produção, ninguém se preocupara em saber se os clientes estavam interessados naquela mercadoria. Aquilo era dinheiro empatado numa empresa com o caixa zerado. Um absurdo.

Já uma companhia *market oriented* segue o caminho inverso, fazendo a pergunta: o que o cliente deseja comprar e quanto está disposto a pagar? E isso vai determinar o custo do produto. O cálculo é feito de frente para trás. Para a Cecrisa, isso representou uma volta às origens, pois a empresa abandonara ao longo dos anos a fabricação de produtos básicos. A ênfase estava em produtos decorados e com maior valor agregado. Em nossas pesquisas, constatamos que, vinte anos antes, a Cecrisa tinha dez produtos que eram campeões de venda. Foi quando lançou uma porção de produtos, todos sofisticados e inovadores, mas fracos de venda. Pior: ocuparam o lugar dos itens básicos. Um exemplo era o azulejo quadrado tradicional (de 15 × 15 cm) inteiramente branco ou azul claro. Nada mais convencional, porém vendia como água, e a Cecrisa estava fora desse mercado em função do preço.

A equipe de vendas determinou que o custo não poderia ser superior a um dólar por metro quadrado. Definido o parâmetro, o pessoal de Glauco saiu à caça de fornecedores para cada um dos itens que compunham o custo, dos insumos (argila, pigmentos, embalagens etc.) aos serviços contratados, como transporte. Não sossegamos até a conta fechar e atingirmos o objetivo de um dólar por metro quadrado. As vendas de azulejos tradicionais explodiram de tal forma que aumentamos a produção em algumas fábricas para atender à demanda.

A estratégia foi semelhante à de Akio Morita, o célebre fundador da Sony, quando lançou o Walkman, primeiro tocador de fitas cassete individual do mercado. Foi no final da década de 1970. Em vez de definir um preço baseado da estrutura de custo do produto, a fabricante japonesa percorreu o caminho inverso: calculou quanto o consumidor aceitaria pagar e, a partir daí, redesenhou o aparelho com um custo compatível com esse valor. Sacrificar a qualidade estava fora de questão. Assim sendo, a Sony simplificou o design, reduziu os investimentos em promoção e negociou descontos com fornecedores. O Walkman se tornou um sucesso estrondoso de vendas. Trata-se de um exemplo clássico de ação *market oriented*.

A aproximação com os clientes tornou-se uma tarefa incorporada ao dia a dia da Cecrisa, e não apenas na área comercial. Todas as redes varejistas de material de construção do país receberam visita dos diretores comerciais da empresa. Em várias oportunidades eu os acompanhava, para surpresa dos clientes. A maioria dizia que nunca havia conversado com um executivo da Cecrisa. Nessas andanças descobrimos que 90% dos problemas que uma empresa enfrenta não têm origem no mercado, mas sim dentro da própria empresa. Por exemplo: os clientes reclamaram que as embalagens da Cecrisa estragavam rapidamente no depósito. Também se queixaram que as mercadorias chegavam com atraso às lojas. Tudo isso prejudicava as vendas, mas dependia sobretudo da gestão de nosso time — enfim, as soluções estavam em nossas mãos.

O diálogo permanente não se dava apenas com os clientes. A nova gestão ouvia e falava com todos os canais de relacionamento da Cecrisa — sobretudo de Criciúma, como fornecedores locais, moradores, autoridades. Era uma postura quase obrigatória para nós. A economia da cidade, com população inferior a 150 mil habitantes na ocasião, girava em torno da indústria da cerâmica e, por tabela, qualquer decisão de nossa parte impactava o cenário político e social da cidade.

Um dos relacionamentos mais delicados, claro, ocorria com o sindicato dos trabalhadores da indústria cerâmica. Historicamente, os líderes da entidade viviam às turras com a Cecrisa e, por isso, nunca tinham espaço nos veículos de imprensa da RCE, o braço de comunicação do grupo empresarial da família. Em conversa com Joice Quadros, uma das diretoras da área, sugeri entrevistá-los. "O presidente do sindicato não quer dar entrevistas para nós. Ele diz que nada do que fala sai publicado nem nos jornais nem no canal de televisão", disse ela. Minha resposta foi: "Pois eu garanto que a opinião dele será veiculada em horário nobre, desde que não haja ofensas pessoais ou palavrões".

Mesmo desconfiados, os sindicalistas passaram a receber os repórteres da RCE e se surpreenderam ao ver as entrevistas veiculadas tanto na TV em horário nobre como na imprensa local. A família ficou, mais uma vez, furiosa com minha atitude. A irritação só diminuiu quando as negociações com o sindicato se tornaram mais fluidas, mesmo em momentos de muita tensão, como o fechamento de uma fábrica na cidade, o que provocou centenas de demissões. Até deputado veio falar comigo. Eu argumentei:

"Vamos ser bem honestos e sinceros. Estou tentando salvar o maior número de empregos possível." E mostrei os números da empresa. "Se a Cecrisa não fechar esta unidade, em alguns meses, a perda será bem maior."

Fui muito transparente e pedi sugestões para evitar essa medida extrema. Elas não vieram. Depois de muita conversa, se convenceram. Ao mesmo tempo, eu estreitava o relacionamento com a comunidade. Mesmo com o aperto financeiro, o orçamento da Cecrisa reservava um valor fixo para atender a solicitações de igrejas, escolas, entidades sociais, entre outros, além de patrocinar eventos esportivos, como a Taça Cecrisa de Futebol Amador. Não nos recusávamos a discutir nenhum assunto. Certa vez, uma professora da cidade protestou porque exigíamos que todos os funcionários apresentassem uma boa saúde bucal. Se tivesse problema dentário, precisava tratar. Na avaliação dela, tratava-se de uma pressão sobre os trabalhadores. Eu a convidei para visitar a empresa e conhecer nossos programas sociais e assistenciais, incluindo o plano odontológico. A presença de representantes da comunidade local se tornou rotina na Cecrisa.

A cicerone era Joice Quadros, a jornalista da RCE que contratei para assumir a área de comunicação e responsabilidade social da empresa. Foi ela, aliás, que conduziu um episódio que fixaria minha imagem como um especialista em *turnaround*. O trabalho de reestruturação na Cecrisa produzia resultados positivos numa velocidade que surpreendia acionistas e funcionários. Embora detivesse a liderança de mercado e fosse uma marca reconhecida pelos consumidores, as conquistas financeiras da empresa não repercutiam nos grandes centros econômicos, como São Paulo e Rio de Janeiro.

Lá pouco se sabia da transformação que estava ocorrendo numa empresa do interior de Santa Catarina. Isso atrapalhava nosso relacionamento com as grandes varejistas de material de construção e com os bancos, por exemplo. Para eles, a Cecrisa continuava sendo a companhia endividada e sob concordata. Joice procurou vários veículos de comunicação, como *Folha de S.Paulo*, *O Estado de S. Paulo* e *O Globo*, sugerindo uma reportagem sobre o *case* Cecrisa. Um editor da *Exame*, que já era a mais prestigiosa publicação de economia e negócios do país, se interessou pela história. E pediu para que a correspondente da revista em Porto Alegre, Suzana Naiditch, fosse até Criciúma nos visitar. Suzana mergulhou na empresa e esmiuçou o plano de recuperação da Cecrisa. Semanas depois, nas bancas de todo o país, a capa da *Exame* estampava o título "A volta do inferno". No interior, a reportagem "A revanche de um antigo campeão", ilustrada com uma foto minha, detalhava. "passo a passo, como a Cecrisa faz o resgate de sua concordata", nas palavras da própria revista.

Eu aparecia sorridente em ambas as fotos — e tinha motivos para isso. Exatamente dois anos depois de nossa equipe assumir o comando, a empresa apresentava números muito mais vistosos e desempenho saudável. Nesse período, as vendas aumentaram 42,8%, enquanto os custos de produção despencaram 30%. A receita por funcionário, um indicador da produtividade de uma organização, disparou 285%. A participação de mercado cresceu de 36% para 44%, consolidando a liderança no setor de pisos e azulejos. A dívida caiu de 160 milhões de dólares para menos de 100 milhões de dólares. O balanço revelava ainda uma empresa com um caixa de 52 milhões de dólares.

O preço pago foi alto. O quadro de pessoal encolheu de 6 mil para 4 mil colaboradores. É a parte mais dolorosa, mas, sem ela, a totalidade dos empregos estaria comprometida. Vendedores da Cecrisa, assim como os profissionais da área de finanças e compras, levaram exemplares da revista para clientes, bancos e fornecedores. Com a repercussão estrondosa da reportagem, minha imagem ficou definitivamente vinculada aos termos *turnaround*, transformação e reestruturação.

Como já afirmei, quando as peças se ajeitam numa empresa e o risco de bancarrota parece mais distante, os acionistas também se sentem mais confortáveis para lembrar que, afinal, eles são os donos do pedaço. Numa reunião do conselho de administração, um dos acionistas anunciou uma decisão com a qual não concordei. E, no fundo, ele sabia que isso aconteceria. Houve muita discussão e me retirei da sala, depois de afirmar que eu deixaria o cargo de superintendente e, portanto, também a empresa. Dilor pediu que um dos conselheiros conversasse comigo e me demovesse da ideia. Nada feito. Glauco Abdala diz que sou italiano no relacionamento com as pessoas e germânico em minhas decisões, ou seja, irredutível. Ele tem certa razão.

Não saí batendo a porta. A relação respeitosa que mantinha com Dilor, um empreendedor ousado e amigo sincero, e os demais membros da família não permitiria uma atitude desse tipo. Tanto que participei ativamente da contratação de meu substituto, o executivo Antonio Maciel Neto, antes de me despedir da companhia, em maio de 1993. Meu prazo de validade de dois a três anos estava vencido, e eu ansiava por outro nó para desatar, o que surgiu em uma companhia que, assim como a Cecrisa, ostentava a liderança em seu mercado de atuação, a Vila Romana.

CAPÍTULO 4

Vila Romana

Eu nunca tive ideias brilhantes. Não sou um sujeito criativo, e tampouco carrego soluções prontas para os problemas de meus clientes ou empregadores. Meu mérito, segundo aqueles que me conhecem, reside na capacidade de agregar pessoas certas em torno de objetivos desafiadores e criar as condições para trabalharem com autonomia e motivação. Sou sincero com os membros de meu time. Uma das primeiras mensagens que transmito aos funcionários de uma empresa ao desembarcar nela é a seguinte: "Vocês vão trazer as soluções, trabalhar mais do que eu para colocá-las em prática e gerar os resultados. E quem vai levar a fama sou eu".

Há quem considere a frase arrogante. Não, ela revela humildade, pois admitimos que nada fazemos sozinhos e dependemos do suporte de todos que queiram ajudar. Não temos pó de pirlimpimpim, solução mágica ou uma grande sacada para resolver problemas de organizações enredadas em dificuldades — e aí se encontra um dos nossos maiores trunfos. Quem faz parte de meu time sabe disso.

Jorge Paulo Lemann disse para Abilio Diniz que eu era um "apertador de parafusos". Quando ouvi a expressão pela primeira vez, não entendi o que Lemann queria dizer. Algum tempo depois ouvi a seguinte piada e creio que era a isso que ele se referia:

Certa vez um empresário contratou um técnico para descobrir por que um equipamento da fábrica não funcionava, um problema insolúvel até então. O sujeito estudou o assunto e concluiu: "É só apertar este parafuso".

Dito e feito. Imediatamente a máquina voltou a funcionar. Feliz da vida, o empresário perguntou qual o preço do serviço.

"São 10 mil dólares", disse o técnico.

"Dez mil dólares para apertar um parafuso?", perguntou, assustado, o empresário.

"Não. Para apertar o parafuso são cem dólares. Para saber qual parafuso apertar, são 9900."

Essa é uma forma divertida (e precisa) de definir o trabalho de transformação empresarial. As soluções não vêm de fora; elas já existem dentro da companhia e são óbvias na maior parte das vezes — basta retirar a tampa da panela de pressão para que brotem com vigor. Qual o papel do líder? Apontar a nova direção para o time, estabelecer claramente os objetivos e garantir que, quando colocarem um bom projeto em sua mesa, ele vai garimpar todas as formas possíveis para torná-lo viável.

A curta, mas intensa, experiência na Vila Romana permitiu que me certificasse dos benefícios dessa postura e de sua importância na transformação corporativa. No fim de 1993, alguns meses depois de me despedir da Cecrisa, recebi um convite para assumir o leme da companhia. A indicação veio do *headhunter* Marcelo Mariaca. Controlada por dois irmãos, André Brett e Ladislau Brett, a empresa ocupava a liderança no mercado de vestuário masculino de alto valor agregado.

Seus ternos, suas camisas e calças vestiam executivos e consumidores de alto poder aquisitivo. De quebra, representava no Brasil marcas ícones da moda, como Yves Saint-Laurent, Pierre Cardin, Giorgio Armani, Ermenegildo Zegna e Christian Dior. Todos os itens dessas grifes eram produzidos em suas três fábricas e vendidos em quatro lojas próprias com o nome VR — enfim, era ao mesmo tempo uma indústria e uma varejista.

Essa era a parte boa. Já os números não apresentavam o mesmo brilho, embora num primeiro momento o quadro não parecesse tão desalentador. O SRL — banco fundado por João Sayad (ex-ministro do Desenvolvimento), em conjunto com Henri Philippe Reichstul (ex-presidente da Petrobras) e Francisco Vidal Luna (ex-secretário de Economia de São Paulo) — havia preparado um relatório minucioso da situação. Segundo o documento, as finanças não iam tão mal, os indicadores de vendas apontavam para cima, os custos estavam sob controle etc. Um ajuste aqui, outro ali e tudo se encaixaria.

Logo liguei para o Paulo Remy, que acabara de deixar a Cecrisa, onde trabalhou comigo. "Paulo, o que você entende de ternos e vestuário masculino?" Ele respondeu: "Absolutamente nada". E eu concluí: "Assim que é bom. Vamos trabalhar juntos novamente?".

Detalhes do contrato ajustados, Paulo assumiu a diretoria comercial. O telefonema seguinte foi para Glauco Abdala, que, diante do convite, se despediu da Cecrisa e logo se juntou a nós para cuidar da área administrativo-financeira e da controladoria. Nenhum dos três dominava o setor têxtil, o que era desejável naquele momento. Conhecimento do mercado não faltava à Vila Romana. Precisávamos de capacidade de gerenciamento sem os vícios de quem passa anos e anos no mesmo lugar, justamente o que a nova equipe oferecia.

Montei o time para dar um cavalo de pau na gestão. Já nos primeiros dias, notamos que as coisas não eram tão róseas como inicialmente se pintou. O diagnóstico se baseava em projeções otimistas, que geravam novas projeções também positivas. Em janeiro de 1994, resolvemos elaborar nosso próprio diagnóstico. Em fevereiro, concluímos o trabalho e revelamos o retrato sem retoques do cenário. Em março, constatamos que o caixa estava zerado.

Resumo da verdadeira situação da Vila Romana: sua dívida correspondia a quase 150% do faturamento anual — um índice considerado saudável pelo mercado não ultrapassa 40%. As áreas industrial e comercial não se falavam e, assim, as fábricas não produziam necessariamente o que o mercado queria. Os custos disparavam e haviam se acomodado num patamar muito superior ao da concorrência.

A elaboração de um diagnóstico requer executivos obcecados na busca de informações, verdadeiros perdigueiros, que não se contentam com respostas fáceis e corriqueiras. Só assim o diagnóstico terá consistência e, sem isso, qualquer trabalho de recuperação estará condenado ao fracasso.

Na Vila Romana, esse foi o primeiro grande desafio. A empresa operava no vermelho fazia anos e, para compensar as perdas contínuas, recorria aos bancos, o que levava o endividamento dar saltos olímpicos. Os bancos, assim como os clientes e fornecedores, haviam perdido a paciência. E constatei isso pessoalmente quando o André Brett me convocou para acompanhá-lo a uma reunião com Edmundo Safdié, dono do Banco Cidade, instituição de médio porte na ocasião, adquirida pelo Bradesco anos depois.

De origem judaica, os Brett faziam muitos negócios com outras empresas e integrantes da comunidade. Um dia, por exemplo, chegou à minha mesa uma conta equivalente a 10 mil dólares que deveria ser paga a um rabino. Surpreso, pedi um esclarecimento a André Brett. "Havia uma ação judicial de um membro da colônia contra a empresa, e esse rabino fez uma arbitragem até chegarmos a um acordo. Essa é a remuneração dele", explicou.

São traços da cultura judaica que raramente se encontra em outras empresas. Empresários judeus mantêm relacionamento muito próximo entre si, se ajudam e, mesmo nos conflitos, procuram resolvê-los no âmbito da colônia. Só que a proximidade étnica e religiosa não significa que eles, como qualquer outro homem de negócios, aceitem perder dinheiro, como constatei no caso do Banco Cidade. Logo no início da reunião com o Safdié, tentei entabular uma negociação sobre a dívida. Ele me interrompeu e, voltando-se para mim, disse: "Não converso com você. Quem me deve é você, André. Então, você é que precisa se explicar".

Curto, direto, objetivo e sem papas na língua. Gostei dele. Nas duas horas seguintes permaneci calado, ouvindo a conversa dos dois, marcada pelo tom pouco amistoso do banqueiro e pelo silêncio do acionista. Percebi ali a complexidade do nó a ser desatado na Vila Romana.

A diferença entre negócio e empresa

A origem dos problemas da Vila Romana não diferia de outros grupos enrascados em problemas financeiros. Na grande maioria dos casos, empresários se dedicam inteiramente ao negócio e esquecem da empresa. Movidos pelo espírito de empreendedorismo e, muitas vezes, pela vaidade, jogam suas energias no crescimento, no aumento das vendas, na expansão geográfica. Essa é a parte prazerosa e charmosa da coreografia de qualquer empresa — o jogo que a torcida vê.

Os irmãos Brett não fugiam ao estilo. Ambos eram de uma simpatia e um bom humor únicos, e tenho por eles um grande carinho, apesar de ter perdido o contato. André era elegantíssimo, simples, sem afetação. Nas viagens de negócios a Nova York, adorava comer cachorro-quente em carrinhos de esquinas da Quinta Avenida. Definia as novas coleções e escolhia os tecidos — uma tarefa complexa já que era feita com pelo menos seis meses de antecedência. Ladislau, também muito afável e brincalhão, cuidava da produção e indústria.

Já o controle do caixa, o acompanhamento dos custos, a formação e o treinamento da equipe, entre outros fatores, ficavam em segundo plano. É o lado oculto da Lua, "chato e árido", sem graça, que só chama atenção quando não vai bem. Quem está sentado na arquibancada ignora tal esforço, como se o crescimento contínuo fosse possível sem a retaguarda de uma empresa bem organizada e parcimoniosa no controle das despesas. Com a capacidade de mobilização e o carisma que os caracteriza, os empreendedores difundem essa visão e deixam que se incorpore à cultura corporativa.

É impressionante como isso pode levar a decisões equivocadas e contrárias à eficiência. Um dia um executivo da Vila Romana nos apresentou um "projeto bacana", segundo ele. O intuito era fazer uma grande ampliação no depósito localizado em João Pessoa, ao lado de uma das fábricas. "Por que vamos ampliar?", questionou Glauco. "Porque não tem mais espaço para armazenar as roupas. Os atuais centros de distribuição estão abarrotados."

Ali estava um típico caso de raciocínio às avessas. O problema era verdadeiro; a solução, falsa. "Por que os estoques aumentaram?", perguntei, para responder logo em seguida. "Porque não estamos vendendo. E a produção continua aumentando mesmo sem aumento de vendas. O problema, então, não é a falta de espaço no armazém. O problema reside no excesso de produção e no ritmo lento das vendas. A solução, muitas vezes, é reduzir a produção e acelerar as vendas."

A sugestão de ampliar o depósito, na visão dos executivos da área industrial, nada tinha de errada. Muito pelo contrário, seguia à risca a orientação da liderança até aquele momento. A ordem era produzir cada vez mais, se tornar maior sempre e sempre. A construção de um novo pavilhão não solucionaria, e sim acentuaria o problema, ponderei. Estoque é dinheiro parado, exige mais e mais capital de giro num país com taxas de juros na estratosfera. Esse comportamento explicava, inclusive, a dívida assustadora da empresa.

Assunto resolvido? Não. Havia mais perguntas a serem respondidas. O que impedia o aumento das vendas e, consequentemente, alimentava os estoques? Os preços eram muito altos? O.k., então, por que isso ocorria? Em razão dos custos elevados? E o que mais empurra as despesas para cima? E assim por diante. Como já falei, uma de minhas principais ferramentas de gestão é fazer as perguntas certas e cobrar respostas claras, objetivas e, sobretudo, corretas. O objetivo é mergulhar fundo para encontrar a real fonte do problema e não se acomodar na superfície. Escavar um pouco mais antes de se convencer de que achou a causa verdadeira. Em nossos trabalhos, Glauco sempre teve um papel relevante na busca das causas.

Uso um exemplo simples como ilustração. Ao constatar rachaduras nas paredes de sua casa, não basta preenchê-las com massa corrida e pintar o remendo. Verifique as fundações da construção, pois provavelmente lá estarão as causas que provocaram as rachaduras. Ou não. O problema pode estar literalmente mais abaixo e remeter às condições geológicas do terreno. E por aí vai. A superficialidade na análise leva a conclusões não só parciais, mas também equivocadas. Há um sofisma que diz o seguinte: "Tudo que é raro é caro. Cavalo bom e barato é raro. Consequentemente, cavalo bom e barato é caro".

Uma lógica irrepreensível — e falsa, contraditória, desprovida de sentido. Enfim, o projeto do novo armazém na Vila Romana não saiu do papel. Mas serviu para demonstrar que o principal adversário para a recuperação era o foco equivocado da empresa e seus sintomas: custos altos, endividamento, prejuízo, entre outros. "Vamos mudar nossa forma de pensar", determinei.

Quebra de paradigma

Na visão predominante até então, a Vila Romana era uma indústria com operações de varejo. Para nossa equipe, esse raciocínio não se sustentava. A ênfase deveria recair sobre as lojas, que, por sua vez, seriam abastecidas por fornecedores mais baratos, fossem as próprias fábricas da companhia, fossem outros fabricantes do Brasil ou do exterior. A base já existia. A Vila Romana contava com duas grandes lojas de fábricas, os outlets, e duas unidades em shoppings. O que precisávamos era um número maior de lojas para aumentar a escala e reduzir os custos para melhorar as margens.

A virada na direção do varejo quebrou um paradigma, já que a grande maioria dos industriais tem um enorme orgulho de suas fábricas e as consideram a principal vantagem competitiva em relação aos concorrentes. Além disso, misturam-se pelo menos dois outros fatores. Um deles é emocional, que se traduz em frases como "lembro quando comprei cada uma dessas máquinas" ou "eu corria nesses corredores quando era criança".

Outro fator tem a ver com a cultura patrimonialista fortemente arraigada no Brasil. A posse de bens materiais, como fábricas e depósitos, por exemplo, oferece uma sensação de segurança e estabilidade, mesmo que a realidade diga que não se trata de um bom negócio. De fato, a Vila Romana crescera em porte e prestígio graças à sua excelência industrial. Os tempos, no entanto, haviam mudado. Calças e camisas jeans se tornaram commodities. Uma infinidade de pequenos e médios empreendedores, sobretudo no Nordeste brasileiro, oferecia as peças por preços convidativos. Eles tinham o que a Vila Romana jamais conquistaria: marca própria e não de grife, o que exigia o pagamento de royalties, além de estrutura enxuta e mão de obra barata, sem as obrigações típicas de uma grande corporação.

Os benefícios fiscais que haviam convencido a empresa a instalar uma fábrica em Aracaju anos antes já tinham atingido o prazo de validade. Subsídios e isenção de impostos vigentes até então seriam cobrados, onerando ainda mais a produção da Vila Romana. Além disso, às vésperas do Plano Real, o dólar enfraquecia a cada dia, tornando as importações atraentes. A China não se transformara ainda na máquina industrial de hoje. Mas países como Hungria e México ocupavam esse espaço e inundavam o mercado global com produtos têxteis baratos. Era melhor comprar de fora.

Isso selava o destino da deficitária fábrica de Aracaju. Já a outra unidade fabril, em João Pessoa, seria preservada. Os ternos e as camisas sociais ali produzidos apresentavam uma qualidade única no Brasil e custos equivalentes aos de competidores internacionais. Dois entraves dificultavam a venda ou o fechamento da fábrica de Aracaju. O primeiro, interno, tinha raízes na resistência da família em se desfazer de ativos industriais, uma reação comum no empresariado brasileiro.

Nós o resolveríamos com argumentos e com os números que escancaravam a realidade: a fábrica carregava uma dívida impagável e não tinha competitividade para enfrentar os concorrentes mexicanos, asiáticos e do Leste Europeu. Uma simulação realizada à época mostrou que uma hipotética fábrica nova consumiria investimentos de 20 milhões de dólares, metade do montante da dívida daquela unidade.

O segundo entrave residia nos aspectos políticos. Com cerca de mil funcionários, o fechamento da unidade impactaria a economia da região, provocando a oposição dos governos estadual e municipal. E os credores? Não havia dinheiro para pagá-los. Os bancos também não se mostravam dispostos a novos financiamentos para aquela unidade.

Enfim, fechar as portas parecia difícil. Encontrar um comprador, ainda mais. Mas, como já comentei, eu não tenho grandes ideias, apenas crio as condições para que elas aflorem das pessoas ao meu redor. E, muitas vezes, elas já trabalham na empresa e só precisam de oportunidade para mostrar criatividade e talento. Na Vila Romana, um desses profissionais chamava-se Vitório Perin Saldanha, e dele veio a solução que não havíamos vislumbrado.

Sem mente quadrada

Vitório era homem de confiança dos Brett. Veterano na empresa, revelou-se um excelente executivo no trato com as pessoas e, por isso, conquistou o respeito de funcionários de todos os níveis hierárquicos, de diretores a operários de produção. Ele considerava minhas decisões extremadas na condução dos negócios da Vila Romana. De acordo com sua visão, as mudanças na gestão aconteciam em ritmo acelerado demais. Curiosamente, veio dele uma das mais ousadas e brilhantes propostas para superar o impasse sobre o destino da fábrica de Aracaju. "Vamos entregá-la para os funcionários", sugeriu ele durante uma reunião. "Como assim?", perguntei.

Sua ideia era a seguinte: a Vila Romana ajudaria os trabalhadores na formação de uma cooperativa. Essa entidade assumiria o controle acionário da unidade. Para dar segurança ao negócio e um prazo para que os novos donos tomassem pé da situação, a Vila Romana se comprometeria a adquirir parte da produção durante um ano. O Banco do Nordeste, uma instituição estatal de fomento, abriria uma linha de crédito para financiar a operação, já que a presença da cooperativa de trabalhadores no projeto lhe daria um inquestionável caráter social (se a Vila Romana, uma companhia privada endividada até o pescoço, solicitasse um novo financiamento ou refinanciamento, o banco não aceitaria).

O governo sergipano e a prefeitura de Aracaju, raciocinou ele, também pressionariam para o sucesso da transação. Até mesmo a CUT, muito atuante no movimento sindical da região, veria a iniciativa com bons olhos, pois defendia o sistema de autogestão para empresas em dificuldades. No Brasil, já havia casos esparsos de cooperativas de funcionários na gestão de negócios, mas nenhuma com o porte da fábrica de Aracaju. Por isso, a sugestão de Saldanha não parecia exequível. Mas pensar fora do quadrado é um traço do DNA de um processo de transformação. Uma frase atribuída ao escritor e poeta uruguaio Mario Benedetti diz: "Na vida devemos evitar três figuras geométricas: os círculos viciosos, os triângulos amorosos e as mentes quadradas".

Não vou discutir aqui as duas primeiras. Mas a terceira figura geométrica é uma das principais inimigas de um *turnaround* e, por isso, tocamos a proposta adiante. Saldanha foi muito feliz na condução da operação. Amarrou todas as pontas — conversou com políticos e sindicalistas e até subiu em caixote para discursar aos trabalhadores sobre as vantagens do negócio.

Em alguns meses, a posse da fábrica foi transferida para a cooperativa e, dessa forma, a Vila Romana se livrou de parte significativa de sua dívida e de uma estrutura industrial de baixa produtividade e altos custos. A outra unidade, localizada em João Pessoa, continuou no portfólio da Vila Romana, mas não sem antes passar por um enxugamento radical, o que nos levou a lidar com um tradicional adversário, um de nossos velhos conhecidos: a figura do "insubstituível".

O homem que mandava na fábrica de ternos e camisas em João Pessoa nasceu na Itália, vivia no Brasil fazia décadas e entendia muito de seu ofício. As roupas produzidas sob seu comando eram bem cortadas e de muita qualidade. Coisa de artesão. E aí estava o problema. O italiano era um artesão trabalhando num sistema industrial. Os funcionários o temiam em função do temperamento explosivo. Ele chegava a algumas reuniões portando uma arma mal camuflada na cintura. Ninguém ousava desafiá-lo, já que os próprios acionistas o classificam como "insubstituível".

A "liderança do chicote", como defino esse estilo de gestão, gera resultados em função do pragmatismo: os subordinados cedem diante da agressividade e dos berros, pois precisam do emprego, e sua própria sobrevivência se encontra em jogo. Diversas empresas que conheço apresentam bom desempenho comandadas por donos ou presidentes que se comportam como déspotas.

Não gosto desse tipo de estilo por princípio e também por uma questão pragmática. De acordo com minha experiência, as organizações atingem resultados com mais rapidez e mais qualidade quando todos abraçam a mesma causa do que com o uso do autoritarismo. Com a autoridade de quem comandou as forças aliadas na Europa durante a Segunda Guerra Mundial e depois se elegeu para presidente dos Estados Unidos, o general Dwight Eisenhower compartilhava essa mesma visão: "Não se lidera na base da pancada", disse ele. "Isso qualquer idiota consegue fazer, mas costuma ser chamado de 'agressão' e não de 'liderança'. Eu lhe direi o que é liderança. É persuasão, conciliação e paciência. Um trabalho longo, lento e difícil."

É bom notar que Eisenhower utiliza palavras duras para defender uma postura mais humana do líder. Parece contradição. Não é. A busca por consenso não significa falta de assertividade, determinação e clareza nas mensagens. O desenrolar do caso envolvendo o diretor italiano na unidade paraibana da Vila Romana mostrou qual era o caminho correto.

Numa de suas primeiras visitas ao local, Glauco Abdala sentiu o ambiente pesado, com insatisfação do pessoal e um sistema de manufatura excessivamente detalhista e ineficaz. Para se ter uma ideia, a produção de alguns ternos compreendia 52 etapas. Na primeira conversa sobre uma eventual "racionalização", o italiano fora taxativo: "Impossível", disse. "Não vou comprometer a excelência de minha arte."

Não se tratava disso. Sempre é possível simplificar sem perder a qualidade. Os Brett também reagiram mal quando falamos em substituir o executivo: "Esse cara não pode sair. Vamos perder o coração na área de ternos". Mas não havia como mantê-lo. Os acionistas ficaram contrariados com a demissão, porém logo depois perceberam a virada no astral da fábrica e os ganhos de eficiência. Aquele mesmo terno cuja fabricação se dividia em 52 fases passou a ser feito em dezoito etapas, o que rendeu uma enorme economia de dinheiro e ganhos de produtividade. E não tivemos queixas sobre a qualidade.

O portfólio de produtos também passou por um enxugamento, com redução de mais de 20% no número de itens. Uma reforma na unidade, com novos vestiários e a criação de espaços específicos para descanso e leitura, criou um ambiente mais amigável para os funcionários.

Ao mesmo tempo que arrumava a banda industrial da casa, a Vila Romana investia no aprimoramento do lado varejista. A operação gerava um faturamento robusto, que no entanto não se traduzia em lucros no balanço. Um dos outlets, localizado ao lado da sede, na Via Anhanguera, na Grande São Paulo, vivia lotado. Nos fins de semana, a região sofria com os congestionamentos no trânsito da região provocados pela avalanche de clientes atraídos pela fama dos preços baixos de ternos, calças e camisas — imagem nem sempre verdadeira.

Havia outros gargalos, sobretudo no atendimento. Exemplo: por mais que a equipe de vendedores fosse reforçada, formavam-se filas quilométricas no ato do pagamento. Era um sintoma da falta de estrutura para suportar o fluxo permanente e intenso de consumidores, cujo efeito se manifestava na boca do caixa. Solução fácil não existia, já que a complexidade é inerente ao varejo de roupas. Há uma colossal quantidade de variáveis, do tecido utilizado ao tamanho; da cor ao modelo. Manter uma loja abastecida com todas as opções exige uma logística sofisticada. No caso específico de ternos, há uma etapa adicional: o ajuste da indumentária ao corpo do cliente.

Sem dinheiro para soluções caras e já disponíveis no mercado, buscamos uma pequena fornecedora de softwares de gestão no varejo e fizemos um acordo: eles desenvolveriam uma ferramenta para ordenar o fluxo de mercadorias das fábricas para os depósitos e dos depósitos para as lojas, incluindo a etapa de vendas para o consumidor. Depois, poderiam comercializar o sistema desenvolvido no mercado. Assim, pagamos um preço muito mais baixo pelo serviço do que o normalmente praticado. Uma das boas sacadas foi criar estações de pagamento em diversos pontos da loja, operadas pelos próprios vendedores. Concluída a venda, eles levavam o cliente até uma dessas estações, emitiam a nota fiscal e faziam a cobrança. As filas praticamente terminaram.

Em apenas um ano de trabalho, os resultados apareceram. No início de 1995, o faturamento anual mais do que dobrou, de 40 milhões de reais para 94 milhões de reais. A produção da fábrica de João Pessoa disparou, saltando de uma média de setecentos ternos por dia para algo em torno de 1500. Isso sem aumentar o número de funcionários; ao contrário, aliás. Promovemos cortes de pessoal para reduzir os custos. A produtividade evoluiu no mesmo ritmo: de 0,67 peça por funcionário passou a 1,57 por funcionário. Os estoques nas lojas desabaram de 72 dias para 35 dias e, por tabela, garantimos um alívio enorme à necessidade de capital de giro. Se de um lado nos desfizemos de uma fábrica, por outro, abrimos três lojas, elevando o número de pontos de venda para sete e consolidando a nova orientação para o varejo da Vila Romana.

Mas também cometemos erros na Vila Romana que nos serviram de orientação para os projetos seguintes. Um deles foi a relação com os acionistas. Como estávamos nos debatendo para sobreviver, cortamos drasticamente os custos, inclusive despesas pessoais bancadas pelo caixa corporativo: motoristas, funcionários, cartão de crédito pessoal, passagens aéreas, entre outras. Para não interferirem na gestão, André Brett e Ladislau Brett decidiram trabalhar num escritório distante da sede da Vila Romana, no bairro dos Jardins, em São Paulo, a cerca de 25 quilômetros da matriz, localizada em Osasco.

Ambas as decisões foram corretas, pois a separação entre empresa e família faz parte das boas práticas de governança e ajuda na saúde financeira. E, sem a autonomia dos gestores, o trabalho de reestruturação não avança. No entanto, faltou habilidade para conduzir o assunto. Um acordo prévio instituindo o valor da retirada mensal dos donos e uma política disciplinando os gastos corporativos evitariam conflitos.

Por outro lado, aproveitamos ao máximo o apoio dos irmãos Brett ao nosso trabalho. André transmitiu o profundo conhecimento sobre o mundo têxtil para o time comercial. Além de apresentar os fornecedores, organizou viagens para Nova York, Paris e outras cidades para que todos se inteirassem das principais tendências globais de moda masculina, incluindo detalhes como a configuração de uma vitrine de loja e a escolha de tecidos para determinada coleção. Era um craque que sabia tudo de alfaiataria, um traço que ganhava importância diante do meu desconhecimento desse universo. Meu estilo conservador de me vestir gerou até brincadeiras por parte de André. Sempre que desenvolvia uma nova coleção, ele me convidava para palpitar com uma provocação: "O que você gostar, vamos tirar da coleção, pois ninguém vai querer comprar...".

A relação amistosa entre nós perdurou mesmo quando conversei com ele para anunciar minha decisão de deixar o comando da Vila Romana, pouco mais de um ano após minha chegada. A parte mais desafiadora do trabalho acabara, e os Brett davam sinais do desejo de voltar ao dia a dia. A imagem de especialista em salvar empresas crescera de maneira vertiginosa, e novos projetos batiam à minha porta com tanta força que a organização de uma consultoria voltada especificamente para esse mercado se tornava não um desejo, mas uma necessidade.

CAPÍTULO 5

Mococa

Era uma churrascaria na rodovia Raposo Tavares, na região metropolitana de São Paulo, dessas que existem aos montes às margens das estradas brasileiras, parada obrigatória de caminhoneiros e famílias em viagem. Sentados à mesa, estávamos eu, Glauco Abdala e Paulo Remy. Ali nascia a Galeazzi & Associados, fruto das circunstâncias práticas, e não de um planejamento ou sonho de seus sócios. As experiências na Cecrisa e na Vila Romana consolidaram nossa imagem como especialistas em reestruturação, *turnaround* e transformação de companhias no mercado, sobretudo entre bancos e empresas de consultorias e auditoria. A cobertura da imprensa reforçou essa percepção junto a empresários e acionistas de empresas enroscadas em problemas financeiros.

Por isso, no intervalo de poucas semanas no final de 1995, recebi consulta de três empresas interessadas em nos contratar para conduzir processos de *turnaround* ou reestruturação. Uma delas era a Mococa, famosa por seus produtos lácteos, como leite em pó e leite condensado, e pela figura de uma simpática vaquinha malhada nos rótulos de seus produtos. Outra chamava-se Inbrac, fabricante de autopeças com sede em Diadema e mais de dez fábricas espalhadas pelo Brasil e no exterior. O terceiro projeto descartei de bate-pronto, pois os controladores não aceitavam dar o apoio necessário para implementar um *turnaround*.

Durante alguns dias convivi com o dilema: Mococa ou Inbrac. Por fim, decidi: as duas. Meu conhecimento dos dois setores, produtos de consumo e autopeças, beirava o zero. Mas, modéstia às favas, eu entendia um bocado de como sair de situações financeiras difíceis. Também tinha consciência de que só conseguiria tocar ambos os projetos com o suporte de uma equipe talentosa e sintonizada com meu estilo de trabalho. Essa equipe já existia — começou a se formar na Cecrisa e se consolidou na Vila Romana. Seus integrantes estavam sentados à mesa comigo: Paulo Remy e Glauco Abdala.

Num primeiro momento, sequer pensamos em organizar formalmente uma empresa, com contrato social, nome e coisa e tal. O modelo começou a tomar forma no dia a dia, com a divisão de trabalho e remuneração para atender os dois primeiros clientes. Paulo centralizaria suas forças na Mococa; Glauco, na Inbrac; eu repartiria meu tempo entre as duas. Cada um de nós receberia um salário fixo de mesmo valor e racharíamos os bônus vinculados ao sucesso das duas empreitadas. Metade do valor para mim e 25% para cada um de meus parceiros.

Logo percebemos que, do ponto de vista fiscal e de representação junto a potenciais clientes, o melhor seria criar uma pessoa jurídica em vez de receber os honorários individualmente. Como toda empresa, aquela precisava de um nome. A minha ideia inicial foi juntar as iniciais de cada sobrenome — GAR, ou GRA, ou RGA, ou algo assim. Glauco e Paulo não concordaram. A consultoria, defenderam eles, deveria remeter à minha imagem, pois eu era o mais conhecido no mercado. Prova disso, argumentaram, era que Mococa e Inbrac entraram em contato comigo.

Por fim, escolhemos Galeazzi & Associados. A formalização não foi além disso. Durante cerca de cinco anos não tivemos endereço próprio. As reuniões, quando necessárias, aconteciam nos escritórios dos clientes ou na casa de um dos sócios nos fins de semana. Glauco, o mais organizado e sistemático do trio, cuidava dos pagamentos e da contabilidade.

Ou seja, adotamos uma estrutura mínima para a empresa funcionar, mas tínhamos clareza máxima sobre o foco de atuação. A Galeazzi & Associados não se posicionou como consultoria, e sim como um escritório especializado em *interim management*, ou gestão interina. A distinção ia além da semântica. Como gestores interinos, nossas intervenções se baseavam (e se baseiam) em metas claras, prazos predeterminados e independência na atuação.

Dessa forma, não estabelecemos laços políticos ou emocionais com ninguém, justamente o que leva empresários e executivos à paralisia diante da necessidade de alterar o rumo de uma organização. A Galeazzi & Associados caracterizava-se por uma intervenção relativamente breve (não mais do que dois ou três anos) e intensa. Intensa é mesmo a expressão mais apropriada. Mococa e Inbrac consumiam as 24 horas de nossos dias — e ainda mais se o dia fosse mais longo. Tinha que ser assim, pois ambas viviam um estado de profunda crise financeira.

Fundada em 1919 em Mococa, no interior paulista, por uma empreendedora chamada Izabel Barretto a partir da produção artesanal de manteiga, a Mococa carregava, em 1995, uma dívida correspondente a 20% de seu faturamento de cerca de 55 milhões de dólares. Só o pagamento dos juros consumia o equivalente a quase 7% das receitas — uma sangria incompatível com a geração de caixa. A participação de seus produtos no mercado caía continuamente. Não obstante, mantinha a imagem simpática junto aos consumidores.

O que não despertava simpatia alguma era o clima beligerante que predominava na empresa. Dois dos principais acionistas viviam uma guerra fratricida, gerada, entre outros fatores, por personalidades muito distintas. Francisco era (e é até hoje) um gentleman, uma pessoa refinada e afável. Atencioso com todos, não subia o tom de voz nem nas ocasiões mais tensas. Seu apoio incondicional e sua postura colaborativa motivavam todos nós.

Graças a um acordo firmado com os demais familiares, mantinha o controle da gestão e presidia o conselho de administração, formado ainda pelo irmão Leopoldo, um primo, José Augusto, e por uma tia, dona Marina, uma senhora de noventa anos de uma lucidez impecável e de um vigor físico invejável para a idade — tanto que só veio a falecer muito tempo depois, aos 107 anos.

Um outro acionista, perspicaz e ágil nas reações, utilizava tais qualidades para provocar os sócios e os executivos, criticando todas as decisões por mais corretas que se revelassem e ameaçando com ações judiciais, entre outras artimanhas. Ele se encontrava isolado no conselho, o que não o impedia de levar os demais integrantes à beira da loucura. Era um mestre na arte de criar casos, graças à sua inteligência e capacidade de importunar sem parar, como um zumbido de pernilongo durante a madrugada. Uma situação surreal, pois ele metralhava a empresa mesmo sendo um dos sócios mais relevantes. Possuía uma visão empresarial arguta, mas pecava pela forma e pelo comportamento.

O embate se acirrou em razão de visões divergentes na condução dos negócios. Um defendia o crescimento sem limites, independentemente de quanto isso custaria, e os demais acionistas pediam cautela. A divergência derivou para o rompimento quando da construção de uma fábrica em Goiânia. A maior parcela dos recursos veio de financiamentos bancários com prazos de pagamento curtíssimos. Jamais a unidade geraria resultados em velocidade suficiente para amortizar o investimento. Esse descompasso levou a uma explosão da dívida.

O desentendimento profissional misturou-se à animosidade pessoal. Não se sabia onde começa um e terminava a outra. "Um angu de caroço", como dizia o próprio Francisco. Ciente do ambiente pouco amistoso, busquei colocar panos quentes. Numa de minhas primeiras reuniões do conselho, pedi calma a Francisco, alvo preferido das provocações do outro sócio. "Ele quer fazer você reagir. Não entre no jogo dele", disse eu.

Um conselho prudente e equilibrado, não é? Pois minutos depois, antes mesmo do início da reunião, percebi que aquele acionista problemático pretendia gravar a reunião sem o conhecimento dos demais conselheiros. Irritado, levantei da cadeira e me dirigi a ele, questionando a tentativa. O clima esquentou e quase chegamos "às vias de fato", como se dizia à época. Depois de apaziguar meus ânimos, um dos integrantes da "turma do deixa-disso" comentou comigo: "Mais uns três segundos e você o faria engolir o gravador...".

A cena se desenrolou sob o olhar assustado de dona Marina. "Os funcionários vão ouvir essa briga, e isso não é bom para a empresa", disse ela. Nervosa, começou a sentir palpitações e falta de ar. A situação já estava difícil. Com o mal-estar daquela educada e nonagenária senhora, a situação se tornou mais confusa até que o acionista brigão se retirou para a tentativa (frustrada no final) de registrar um boletim de ocorrência contra a agressão que não se consumou. Minha primeira preocupação foi acalmar dona Marina. Ela mais uma vez me surpreendeu: "Você falou o que nós queríamos falar há muito tempo para ele", disse, ainda ofegante.

Como negociar com bancos

Minha relação com esse acionista, que nunca fora tranquila, azedou de vez. Algumas iniciativas da nova gestão contribuíram para esse estado de coisas, sobretudo quando cortamos todos os benefícios concedidos aos familiares, com exceção do plano de assistência médica. Também tiramos da folha de pagamento cerca de cinquenta pessoas contratadas pela Mococa que, na prática, trabalhavam para os acionistas em tempo integral. Eram motoristas, empregados domésticos e até vaqueiros de fazendas particulares, cujos salários e encargos sociais passaram a ser honrados pelos membros da família.

Por essa e por outras, esse acionista tumultuava o ambiente sempre que surgia uma oportunidade. E, se ela não surgisse, ele a criava. Era uma espécie de litigante profissional. Certa vez, chegou a uma assembleia de acionistas acompanhado de um escrivão para registrar a reunião em sua totalidade. O encontro começou logo após o almoço e se estendeu até o início da noite. De tão extensa, a ata virou um "livro". As consequências não se esgotaram na chateação. A ata trazia informações sobre as estratégias para negociarmos o alongamento e a redução da dívida da companhia. Como se tratava de um documento público, registrado em cartório, qualquer pessoa teria acesso, o que eliminaria uma de nossas armas — a surpresa, no caso dos credores — e divulgaria nossa estratégia para os concorrentes.

Como se safar da situação? O advogado da empresa sugeriu uma saída legal: publicar apenas uma versão resumida do conteúdo. O problema era convencer o acionista a aceitar essa opção. Apelamos para o "Efeito Asdrúbal", desenvolvido na Cecrisa. Convocamos um funcionário da Mococa muito próximo do acionista, e depois de explicar a situação e os riscos que implicava, pedimos que ele convencesse o amigo a não se opor à proposta. A missão foi cumprida com sucesso.

A ação desse acionista beligerante se estendia para além dos muros da empresa. Ele procurava gente da comunidade de Mococa e alertava que estávamos "acabando com o patrimônio" e pouco nos importávamos "com a economia da cidade". Numa localidade pequena como Mococa, em que todos se conheciam e tudo girava em torno da companhia, isso criava um enorme constrangimento para os demais sócios.

Bancos credores e fornecedores também recebiam suas visitas e ouviam discurso semelhante. Os comentários negativos prejudicavam a negociação para esticar a dívida e obter mais crédito. Afinal, quem se sentiria seguro em emprestar dinheiro para uma companhia em que os acionistas brigavam sem parar? E, sem acordo com os credores, o naufrágio seria inevitável.

Para neutralizar as críticas, comparecíamos às rodadas de negociação acompanhados de Francisco, o que significava um aval de 75% do capital às nossas propostas. A presença do presidente do conselho ajudou, assim como uma artimanha que começamos a utilizar na Mococa e depois se tornou parte integrante de nosso arsenal de renegociação com os credores.

O diálogo com os bancos havia chegado a um impasse antes mesmo de assumirmos a gestão da Mococa. Sem um fato novo, as conversas não destravariam. Não um fato qualquer e, sim, um fato extremo, capaz de assustar o outro lado da mesa. Por isso, preparamos a documentação para um pedido de concordata. Com o processo em mãos, sentamos com representantes do banco que carregava a maior parte do endividamento. Se acertássemos com ele, os outros viriam atrás e, mesmo se não viessem, a sobrevivência imediata estaria garantida.

A conversa começou em tom elevado. Furioso, o executivo do banco espumava e ameaçava cobrar a dívida na Justiça (com o tempo, descobri que eles sempre agem dessa maneira para intimidar o devedor). Ele só não esperava o contra-ataque. Mostrei duas pastas que levei debaixo do braço: "Olha, é o seguinte", iniciei batendo levemente com o dedo indicador na primeira pasta. "Aqui está o plano de reestruturação que vamos implantar na Mococa, com metas, prazos, informações que usamos para montá-lo e as condições para honrar nossos compromissos com vocês. Não é o ideal. É o possível. Vocês têm duas opções. Uma é aceitar este plano." E empurrei cuidadosamente a pasta na direção do executivo. "A outra", continuei, "é aguentar as consequências da concordata que vamos pedir." E coloquei a palma da mão sobre a segunda pasta.

Foi um momento marcante para a construção da credibilidade da Galeazzi & Associados junto ao mercado financeiro. Os planos de reorganização financeira e administrativa das empresas não atendiam aos sonhos dos bancos de receber em dia, mas afastavam o pesadelo do calote, mesmo que para isso fossem obrigados a ceder descontos e aceitar prazos de pagamentos mais dilatados do que gostariam.

A tática das "duas pastas", como batizamos essa técnica de negociação, só funciona se forem respeitados dois pontos. Primeiro: não se pode blefar. No caso da Mococa, o pedido de concordata poderia ser protocolado a qualquer momento, já que a documentação necessária estava inteiramente organizada — e chegamos muito perto disso. Segundo: cumprir rigorosamente os compromissos do plano de reestruturação para não cair no descrédito junto ao mercado financeiro.

Com o tempo, os próprios bancos, convencidos de que a Galeazzi & Associados entregava os resultados prometidos nos planos de recuperação, exigiam que muitos devedores em dificuldades contratassem nossa empresa para tornar suas operações mais eficientes e, assim, minimizar os riscos de inadimplência.

Depois de meses de queda de braço, a Mococa chegou a acordos com os bancos, com uma pequena (mas providencial) carência para o início dos pagamentos, prazos mais prolongados e juros menores, ainda que superiores ao que seria razoável em qualquer outro país. Antes, a parte substancial do endividamento vencia ao longo de doze meses. A renegociação esticou esse período para três anos. Isso representou um novo fôlego financeiro e uma redução nos custos, abrindo espaço para uma reformulação profunda na estrutura e na estratégia da companhia.

Ouvir os funcionários para ganhar aliados

Para a maioria das pessoas, processos de *turnaround* significam, sobretudo, redução drástica de custos e diminuição do tamanho da empresa. Exigem, ainda, trocas de equipes e eliminação da redundância de muitos cargos e funções, assim como a preservação do presente em detrimento da visão de futuro.

Isso tudo é verdade, mas não em sua totalidade. Trata-se, isto sim, da parte mais visível do trabalho, por ser prioritária e dramática — afinal, trabalhadores de diversos níveis perdem seus empregos. Na Mococa, assim como em quase todas as empresas, aproveitamos o chamado *turnover* natural (pedidos de demissão, aposentadoria etc.) para enxugar o quadro de pessoal, já que não preenchíamos as vagas abertas. Enfim, praticamente não mexemos no quadro de pessoal — a dispensa dos cinquenta funcionários particulares dos acionistas deu um alívio importante na folha de pagamento. Contratei apenas um gerente financeiro para substituir um antigo profissional da casa que se aposentou.

A virada nos negócios ocorreu com a mesma equipe que lá encontramos. Qual a grande sacada? Transformá-la em nossa aliada, abrindo espaço para ouvir sua voz. Em uma de nossas primeiras medidas, mapeamos o grau de formação de todos os funcionários. Aqueles sem nível fundamental completo passaram por um programa educacional desenvolvido em parceria com o Sesi exclusivamente para esse fim. Supervisores, gerentes e diretores se reuniam a cada quinze dias em seminários sobre o plano de recuperação, os resultados obtidos, as metas estabelecidas etc. Em seguida, dividiam as informações com seus times.

Em poucas semanas, todos os 450 colaboradores da empresa estavam na mesma sintonia. Além disso, de tempos em tempos, eu promovia uma rotação temporária entre os executivos. Por exemplo, um diretor da área financeira passou um tempo (dois a três meses) na industrial antes de retornar ao seu setor de origem. Também incentivamos gerentes e diretores a circularem pelas fábricas conversando com os operários — mais ouvindo do que falando.

Foi mais uma mudança de atitude; apenas e tão somente atitude. O retorno superou as melhores estimativas. Numa dessas visitas ao chão de fábrica, Paulo Remy comentou com um supervisor sobre a necessidade de aumentar o volume produzido de leite condensado. Vendíamos 100% da produção com uma margem financeira excelente. Era lucro na veia. Só que o equipamento chegara ao limite. Dinheiro para comprar novas máquinas, nem pensar. O supervisor escutou e, com o típico sotaque do interior paulista, respondeu: "É só regular direito". E começou a explicar como, "trocando umas duas peças", o rendimento saltaria entre 30% e 35%.

Paulo correu para falar comigo. "Qual o risco?", perguntei. "Se der errado, perdemos metade da produção. Se der certo, o volume será 15% maior já no dia seguinte e continuará crescendo." Não tive dúvidas: "Vamos fazer".

Saiu como previsto no roteiro. Animados, perguntamos ao supervisor por que não sugerira o ajuste antes. Seu depoimento foi esclarecedor e até comovente. "Nunca me perguntaram. Os técnicos vêm aqui, mexem na máquina, mas não sabem nada. Trabalho na Mococa há trinta anos e ajudei na instalação dessa máquina. Moro ao lado da fábrica e, só pelo barulho, sei se ela está com defeito, porque conheço o som de cada componente. Se deixarem posso sugerir muitas outras melhorias."

Com essas palavras, o colaborador demonstrava um enorme carinho pela empresa que, até então, passara despercebido pela gestão.

Nós apenas o provocamos para que ele se manifestasse. No livro *O essencial de Drucker*, o chamado pai da administração moderna, Peter Drucker, discorre sobre a importância do diálogo permanente com diversos níveis da organização. Drucker escreveu:

> Descobri que é factível e eficaz incutir nos supervisores de primeira linha descrições detalhadas não só de seus objetivos como também dos objetivos da empresa. O resultado tem sido aumento significativo da produção. Essa deve ser a consequência, se estivermos sendo sinceros ao afirmar que o supervisor de primeira linha é parte da administração. Pois um dos componentes da definição de gestor é assumir responsabilidade pelo todo — ou seja, ao talhar pedras, ele "constrói a catedral".

A construção da catedral

A construção de catedrais é o que chamo de lado pouco evidente do *turnaround* — o legado mais duradouro de nosso trabalho, que se baseia numa reflexão sobre a própria identidade da companhia e seu posicionamento no mercado. Os resultados não demoram a aparecer, embora numa velocidade menor do que na etapa inicial, focada na redução drástica e imediata de custos. Com maior ou menor intensidade, com mais ou menos impacto no futuro, todas as organizações que comandei mergulharam em algum momento no processo de reflexão.

Situações de crise são oportunas para questionamentos, já que verdades absolutas desabam diante da dura realidade exposta pelo prejuízo, pelo endividamento, pela perda de participação no mercado etc. É hora, portanto, de construir uma "nova catedral", para utilizar a expressão de Drucker.

Mais uma vez, esse movimento não surge de um conceito ou de uma filosofia de negócios. Sua origem é fisiológica, fruto da necessidade. A Mococa precisava incrementar seu faturamento, mas esbarrava numa espécie de camisa de força: seu *core business* (ou melhor, o que ela entendia como seu negócio principal). A companhia sempre se enxergou como uma fabricante de lácteos, ou seja, produtos derivados de leite. Diante da premência de aumentar as receitas, fizemos algumas perguntas: o que mais podemos oferecer ao mercado sem ignorar nosso DNA? Que produtos fora do nosso portfólio têm sinergia com a marca Mococa? Será que a vocação da companhia se limita aos derivados de leite?

Ao responder tais questões, identificamos os nossos principais diferenciais: uma imagem simpática junto ao público infantil (representada, sobretudo, pela Vaquinha Mococa) e uma marca confiável na visão das mães, donas da palavra final na decisão de compra. Mais: a presença da Mococa na mesa dos lares brasileiros era notada principalmente no café da manhã.

A extensão do portfólio, portanto, deveria aproveitar e respeitar essas características. Assim, lançamos uma linha de produtos matinais, como achocolatados, farinhas lácteas, leites especiais, entre outros — todos dirigidos para o mesmo público, comercializados nos mesmos canais de venda e distribuídos pela mesma estrutura logística, o que reduziu drasticamente a necessidade de investimentos e gerou muita sinergia. A mudança se mostrou tão profunda que os acionistas, com um só voto contrário (do litigante profissional, claro), decidiram rebatizar a companhia para adequá-la à nova visão. Em vez de Laticínios Mococa, passou a se chamar Mococa S/A Produtos Alimentícios.

Anos depois, encontrei no livro *O poder dos modelos replicáveis* conceitos que me lembraram o trabalho de extensão de marca desenvolvido na Mococa. Na obra, os autores Chris Zook e James Allen, ambos consultores da Bain & Company, escrevem o seguinte:

> A capacidade de compreender os elementos mais importantes do modelo de negócios e do processo de diferenciação também é importante para concentrar-se na inovação. A maioria das inovações, no nível mais elevado, afeta parte do modelo de negócios, mas deixa o resto intacto. A mudança de óculos para lentes de contato, por exemplo, ainda deixou quase intactas a rede de distribuição, as necessidades básicas dos clientes por correção da visão e a malha de oftalmologistas.

É ou não é semelhante ao que fizemos na Mococa? A diversificação requer muito cuidado e rigor para que a empresa não comece a atirar para todos os lados e perca seu eixo. Zook e Allen alertam para tal risco.

> Sem o efeito estabilizador de um conjunto de princípios estratégicos e organizacionais, as empresas podem tornar-se presas de uma espécie de "DDA Organizacional" (Distúrbio de Déficit de Atenção), bem como da busca sem fim por novos mercados promissores, que as leve miraculosamente a um mundo melhor.

Justamente para evitar o DDA Organizacional, redesenhamos o mapa de distribuição da Mococa e nos concentramos nas regiões de fato relevantes para as vendas. Do total das receitas, colhíamos 80% no estado de São Paulo, embora os produtos estivessem presentes em todo o país. O esforço para abastecer todos os demais estados, que representavam apenas 20% do faturamento, não se justificava. As contas não fechavam. Então, concentramos a atividade em São Paulo e aumentamos o número de pontos de venda atendidos no estado.

Dessa forma, também estabelecemos um planejamento mais preciso sobre a produção e, por tabela, reduzimos os estoques. Até então, a Mococa se deparava de tempos em tempos com os depósitos abarrotados e vendia os excedentes a preço de banana para as grandes redes de supermercados. Estas, por sua vez, utilizavam a situação para pressionar nossos concorrentes a baixarem também seus preços, aviltando, assim, todo o mercado. Abolida a prática, as margens de lucro se elevaram.

Depois de dois anos à frente da Mococa, os resultados demonstraram que driblamos com habilidade as armadilhas da diversificação. No período, as vendas praticamente dobraram, com aumento de 91,5%. A geração de caixa inverteu o sinal: nós a encontramos negativa em 900 mil dólares e a entregamos positiva, 8 milhões de dólares. O volume de ativos líquidos cresceu 31%.

Os ajustes na fábrica, como o do equipamento para fabricação de leite condensado, elevaram a produtividade a níveis inéditos — a receita líquida por funcionário disparou 215,6%. A participação de mercado de produtos de maior valor agregado também subiu. No caso do leite condensado, saltou de 8% para 12%, segundo a Nielsen, uma das mais tradicionais empresas de pesquisas de mercado. O melhor resultado aparecia na última linha do balanço. A empresa deixou para trás um prejuízo médio de 800 mil reais por mês e passou a registrar lucro mensal de 1,4 milhão de reais.

Com isso, os acionistas avançaram com os planos de vender a Mococa. Mais atrativa, a empresa chamou a atenção de diversos candidatos. Em meados de 1999, o grupo holandês Royal Numico adquiriu a totalidade do capital da companhia. A pedido de Francisco, José Augusto e dona Mariana, acompanhei o processo de negociação na condição de consultor, pois eu deixara o comando da companhia no final de 1997.

CAPÍTULO 6

Inbrac

Nos primeiros anos de minha atividade em processos de reestruturação, *turnaround* e transformação de empresas, enfrentei as mais improváveis situações. Como dialogar, no meio da floresta, com um líder garimpeiro na época da Cesbra? O que fazer com os gansos importados na Cecrisa? Como negociar com um rabino na Vila Romana? Qual a forma para conviver com um acionista permanentemente irado na Mococa?

Ainda não havia me deparado, contudo, com um grupo de manifestantes, incluindo uma mulher grávida, bloqueando a entrada de uma fábrica em Diadema, cidade localizada na região do ABC paulista, um dos principais polos industriais do país. Esse era o endereço da Inbrac, fabricante de condutores elétricos atolada em dívidas e sem dinheiro para pagar as contas em dia. Meses antes, os controladores da empresa, a família Ugolini, me contrataram para revigorar o negócio, ao mesmo tempo que dávamos o pontapé inicial na gestão interina na Mococa e, por tabela, na Galeazzi & Associados.

O intuito da mobilização no ABC era barrar a retirada das últimas máquinas da fábrica da Inbrac e, assim, evitar a interrupção das atividades de produção na unidade. O protesto, que recebeu cobertura jornalística da imprensa, incluindo até a Rede Globo, não impediu que as portas da fábrica fossem cerradas definitivamente. Mais uma vez, aplicávamos um remédio amargo para conter uma hemorragia que empurrava a empresa rumo ao cemitério.

Acompanhar o caminho percorrido pela Inbrac até chegar ao estado terminal ajuda a entender em parte a história da industrialização do país entre o final dos anos 1950 e o início da década de 1980 e as mazelas em que o capitalismo brasileiro se meteu. Fundada pelo imigrante italiano Roberto Ugolini, a Indústria Brasileira de Cabos, ou Inbrac, cresceu na esteira da expansão industrial do ABC paulista, puxada pela indústria automobilística. Para as montadoras de veículos da região, fornecia componentes elétricos, como chicotes, cabos e fios.

Os problemas começaram anos depois, quando o filho do fundador, Sergio Roberto Ugolini, passou a dividir seu tempo entre o comando da Inbrac e uma intensa atuação política e corporativa. Engenheiro formado pela USP, próximo a Paulo Maluf, Sergio presidiu a Dersa, empresa responsável pela gestão das rodovias do estado de São Paulo. Também foi secretário de Obras da prefeitura paulistana, além de diretor da Associação Comercial de São Paulo e vice-presidente da Fiesp.

Com isso, Roberto Ugolini Neto, filho de Sergio, conquistou espaço na gestão e na definição das diretrizes do grupo. Sob sua orientação, a Inbrac iniciou uma fase de crescimento acelerado. O que movia essa estratégia, no entanto, não era uma linha de ação bem definida para atingir objetivos claros. A companhia simplesmente aproveitava as oportunidades que apareciam a cada momento. A década de 1970 foi pródiga em oferecer incentivos fiscais para fábricas instaladas em determinadas regiões do país, sobretudo o Nordeste. Além disso, havia abundância de capital a juros baixos, tanto em bancos privados como em instituições de fomento estatais, como BNDES e o Banco do Nordeste. Captar financiamento não exigia muito esforço.

O critério para decidir pelo investimento não residia na demanda de mercado, nas necessidades dos clientes, na perspectiva de desenvolvimento da região ou na premência de ampliar a produção. O que se levava em conta era o acesso aos benefícios fiscais ou ao dinheiro farto e aparentemente barato. Em poucos anos, a Inbrac se tornou um conglomerado com doze unidades fabris. Três foram erguidas no exterior, em países que também ofereciam vantagens tributárias: Equador, Paraguai e Argentina. Outras vieram de aquisições de concorrentes, como a Condugel.

Como não fazia sentido produzir componentes para automóveis na maioria dessas localidades, a empresa partiu para uma diversificação quase aleatória, com pouco planejamento, produzindo itens de baixa tecnologia, como fios e conectores, para outros mercados, por exemplo o da construção civil. Com essa estratégia, entrou em um terreno dominado por concorrentes que sonegavam impostos e, por isso, tinham preços bem menores, criando um tremendo obstáculo para a Inbrac vender seus produtos.

A Inbrac não é uma personagem isolada nesse cenário. Muitos grupos industriais dos mais diversos portes embarcaram nessa onda e cresceram de forma acelerada e desordenada. O pior foi que isso reforçou alguns traços da cultura empresarial brasileira que até hoje se manifestam: o protecionismo e a tendência de sempre pedir uma ajudinha ao governo.

Segundo a visão ufanista, o Brasil era o país da fartura. Nossas terras são fartas; as riquezas naturais são fartas; as florestas são fartas; os alimentos são fartos etc. Sim, somos um país com natureza generosa e recursos abundantes. Mas eles não bastam. É preciso planejamento para explorá-los de forma consciente, inteligente e sustentável. Boa parte do empresariado se convenceu de que, com o ambiente tão favorável, o sucesso era questão de tempo.

Para muitos empreendedores, o porte avantajado representa um fim em si mesmo, e não um meio para concorrer no mercado e se fortalecer, como deveria ser. Numa linguagem popular, a empresa se torna um pastel de vento ou um santo com pés de barro — vistosa por fora e oca por dentro. A história revela que o gigantismo não garante a perenidade do negócio.

Vejamos as seguintes companhias: American Motors, Brown Shoe, Studebaker, Collins Radio, Detroit Steel, Zenith Electronics e

National Sugar Refining. Você não as conhece? Ou as conhece, mas já tinha esquecido desses nomes? Pois todas integravam o famoso ranking Fortune 500 em 1955, quando ele foi publicado pela primeira vez na revista norte-americana de mesmo nome. Nenhuma delas consta na edição de 2016. Apenas 12% da lista de 1955 permanecem presentes na versão de 2016. Walmart, a primeira na relação de 2016, com quase 500 bilhões de dólares de receitas anuais, não aparecia há 61 anos. Outras, a exemplo da Facebook, Alphabet (holding do Google), Amazon e Microsoft, não existiam nem nos sonhos de seus fundadores. Aliás, alguns desses empreendedores sequer haviam nascido.

As pistas mais interessantes sobre sucesso empresarial talvez não estejam nessas novatas, e sim nas sessenta sobreviventes. Entre elas, encontram-se organizações que se transformaram diante de uma crise severa, como a IBM, que de fabricante de grandes computadores passou a fornecedora de soluções em Tecnologia da Informação. Ou a 3M, que fez da inovação um mantra e tem como orientação estratégica retirar entre 15% a 20% do faturamento de produtos lançados nos últimos cinco anos.

Ninguém reúne um repertório de tantas lições sobre estratégia e gestão como a GE, membro cativo do grupo das quinhentas maiores. É um exemplo de inovação, reinvenção e transformação permanentes, ao lado de IBM, 3M e Gillette, que hoje pertence à Procter & Gamble. Mas sua força vem, sobretudo, de líderes determinados, carismáticos e com alto poder de agregação de equipes em torno de objetivos comuns. Estou falando de Jack Welch, ex-presidente da GE, e de seu sucessor, Jeffrey Immelt, que também já se aposentou. Ambos conciliam ousadia e prudência em doses certas, estabelecem metas ao mesmo tempo arrojadas e viáveis e não desistem de levar a companhia ao ponto a que se propuseram. A expansão ganha consistência e durabilidade. Sem isso, o crescimento é ilusório e o preço, alto.

O desafio é incorporar a visão dos líderes à cultura da organização, de modo que a inovação se torne parte indissolúvel de qualquer decisão ou plano da companhia. A Gillette mantém a liderança no mercado de lâminas de barbear há décadas, graças à renovação contínua de sua linha de produtos e ao uso de tecnologias inéditas.

A empresa não abre mão do pioneirismo e lança aparelhos de barbear mais avançados para brigar e destronar seus próprios produtos, mesmo sendo líderes de vendas, numa estratégia chamada de canibalização. Dessa forma, os concorrentes nunca conseguem se aproximar. Movida pela inovação, a Gillette emplacou um ritmo de crescimento ininterrupto em mais de um século de história.

Dores do crescimento acelerado

A Inbrac começou a pagar a conta do crescimento desenfreado com uma enorme capacidade ociosa das fábricas. As receitas geradas mal cobriam os custos fixos, e muito menos amortizavam os investimentos feitos nos anos anteriores, o que a levou a uma espiral de deterioração comum às empresas em dificuldades.

Nesses casos, a primeira reação é correr atrás de novos financiamentos para honrar os compromissos financeiros. O dinheiro entra e sai, e o endividamento fica maior ainda, crescendo como bola de neve. No passo seguinte, sufocada pela falta de recursos, a empresa para de pagar impostos. Depois começam os atrasos nos pagamentos para fornecedores e funcionários. E assim vai, até o fluxo de caixa se tornar negativo, a fase anterior à recuperação judicial e à falência.

A Inbrac encontrava-se nesse limiar quando a recém-criada Galeazzi & Associados chegou lá, em maio de 1995. Com faturamento anual de 140 milhões de dólares, empregava 2500 funcionários divididos pelas onze fábricas, algumas no exterior. Sua carteira de clientes incluía gigantes como Fiat, Volkswagen e Mercedes-Benz. As boas notícias paravam aí. A dívida somava mais de 150 milhões de dólares, ou seja, mais do que as receitas anuais. Os prejuízos equivaliam a 25% da receita líquida. Com um portfólio de produtos básicos e obsoletos, concorria com multinacionais de porte, empresas como Pirelli, Siemens e Delphi.

Nada chamava tanto a atenção como o inchaço da companhia. O número excessivo de fábricas se refletia num organograma superdimensionado. Só a diretoria de primeira linha abrigava 23 executivos, um exagero para uma empresa daquele porte e mergulhada numa crise financeira. Pior: isso se replicava nos demais níveis hierárquicos. Cada diretor tinha sua própria equipe de gerentes, numa redundância de cargos que engordava os custos e retardava as decisões.

Ou a Inbrac desmontava essa estrutura ou não conseguiria reestabelecer o fluxo de caixa positivo, prioridade absoluta para manter as chances de sobrevivência. Era necessário ajustar o tamanho da empresa à sua capacidade de geração de caixa cada vez mais reduzida. Traduzindo em poucas palavras: demissões, fechamento de fábricas e redução drástica do portfólio de produtos. Como sempre ocorre em processos de *turnaround*, as resistências logo apareceram — e vieram da alta cúpula da companhia.

Roberto Ugolini Neto, um visionário e à frente de seu tempo, demonstrava um forte espírito empreendedor e sintonia com as tendências de sua época. No início dos anos 1990, por exemplo, quando a TV por assinatura engatinhava no Brasil, adquiriu várias licenças para operar na área e se tornou parceiro da TVA, controlada pelo Grupo Abril. Foi essa mesma ousadia que o impeliu a colocar a Inbrac na rota da expansão desenfreada, que a conduziu ao limite da falência. Quando a necessidade de mudança se tornou evidente, Roberto resistiu. Paradoxalmente, o empresário arrojado se transformou num conservador, se opondo a mexer numa estrutura que dava sinais de esgotamento — afinal, ali estava sua própria criação. Era o coração falando mais alto do que a razão.

A autonomia de minha equipe ficava claramente comprometida. Medidas urgentes para salvar a companhia não avançavam, às vezes pela simples falta de uma assinatura. Na grande maioria dos casos, os contratos assinados por mim preveem o afastamento dos acionistas da gestão. Na Inbrac, porém, escolhi o caminho oposto e solicitei a volta do acionista principal, Sergio Ugolini, pai de Roberto. Sergio era a favor, e queria de fato dar um cavalo de pau na companhia. Roberto, por sua vez, defendia, mas no fundo não queria guinadas radicais.

Sergio entendeu que a situação o obrigaria a afastar o próprio filho da gestão, o que representava um drama familiar. Ele superou rapidamente o dilema. Deslocou Roberto para o conselho de administração, assumiu de novo a presidência e deu a liberdade de ação que precisávamos para tocar o projeto em frente.

Aqui gostaria de fazer uma reflexão que considero crucial para garantir a vitalidade de companhias familiares. O maior legado que um empreendedor pode deixar é planejar uma sucessão bem estruturada e completa. Ao passar o bastão para um filho, uma filha, um parente ou mesmo um executivo, é preciso entregar o poder na totalidade, desde, é claro, que ele esteja pronto para assumir a gestão. Nesse caso, o sucessor deve ter inteira autonomia para tocar o negócio a partir daquele momento. Pode haver contratempos? Claro que sim, como, aliás, em qualquer tipo de mudança. Mas os eventuais erros de um sucessor têm papel central em seu desenvolvimento e fortalecimento, tanto profissional como pessoal.

Anos atrás, passei o comando da Galeazzi & Associados para meu filho Luiz Claudio. Desde então, nunca interferi na gestão da companhia. Estou sempre disponível para contribuir com conselhos e sugestões, mas apenas quando sou chamado pelo Luiz para isso. E felizmente, graças a sua competência, a empresa manteve ao longo desses anos um desempenho invejável. Isso se deve à competência de Luiz Claudio, e não ao DNA que ele tenha herdado de mim, pois talento e capacidade gerencial não são transmitidos geneticamente, como muitos empresários no íntimo acreditam, embora não verbalizem.

A trajetória profissional de minha filha, Daniela, confirma que não se trata apenas de uma percepção, e sim de um fato. No início de 1999, ela e duas sócias fundaram a Wings to Fly, uma escola de educação infantil em inglês de grande êxito. Seus alunos se encontram entre os mais aceitos nos principais colégios internacionais presentes no Brasil, como a Graded School e a St. Paul's School. Daniela venceu inúmeros percalços para levar seu negócio a esse estágio de sucesso. Sua qualificação é fruto de luta e das experiências vividas, e não de uma eventual herança genética.

Vários empreendedores ou executivos de sucesso se sentem

ameaçados pela presença de colaboradores ou sucessores de talento. Preferem, então, se cercar de profissionais "médios", que jamais brilharão de forma que possam ofuscar o chefe. Sem perceber, são vítimas daquilo que meu amigo Júlio Ribeiro chamava de síndrome de Branca de Neve. Um dos principais e mais criativos nomes da publicidade brasileira, Júlio, morto no início de 2018, dizia que as pessoas que se cercam de anões corporativos sempre terão anões corporativos ao seu redor, sem estatura suficiente para manter (ou recuperar) o vigor de uma companhia, paradoxalmente comprometendo o futuro do negócio que sonham perpetuar.

Sergio e Roberto Ugolini não cometeram tal erro e deram autonomia para a Galeazzi & Associados. Colocamos em prática o plano de ação na Inbrac. As linhas gerais estavam traçadas. O número de fábricas seria reduzido de forma drástica — era um contrassenso que todas operassem com alto nível de capacidade ociosa. O quadro de funcionários passaria por um enxugamento também dramático, a começar pelo patamar da diretoria. E, de uma maneira ou de outra, o endividamento sofreria algum tipo de reestruturação.

Como presenciei em outras oportunidades, o início do trabalho de reestruturação tem efeito semelhante ao de tirar a tampa de uma panela de pressão, revelando talentos internos até então sufocados pela centralização de poder. Dessa vez foi um jovem advogado, que mal chegara aos trinta anos e ocupava a gerência jurídica. Contratado em 1990, Flávio Rodrigues, formado pela Faculdade de Direito da USP, conhecia bem a cultura da empresa, sabia onde estavam os gargalos e demonstrava muita vontade de buscar saídas viáveis para a crise. Tornou-se nosso aliado e teve um papel importante no plano de emergência que colocamos em prática.

Com ajuda dele, preparamos a toque de caixa a documentação necessária para o pedido de concordata e fixamos uma data-limite para as negociações com os credores, como fizemos na Mococa. Só que no caso da Inbrac a entrada do inferno estava mais próxima, e já podíamos inclusive ver a cara do diabo por uma fresta da porta.

O poder de barganha da Inbrac minguava. No passado, já com as contas deterioradas, a empresa havia vendido seus principais imóveis para bancos. Em seguida, alugava as mesmas construções e nelas permanecia como inquilina. Conhecida como *lease back*, a operação trazia um refresco, já que um volume considerável de dinheiro entrava no caixa e ajudava a pagar as contas mais prementes. Mas o efeito logo se desfazia, e deixava como herança os aluguéis, elevando o custo fixo. Alguns desses negócios foram firmados com os próprios bancos, o que colocava a empresa numa posição ainda mais frágil — afinal, eles eram ao mesmo tempo credores e locatários. Presa à teia que criara, a Inbrac se enrolava cada vez mais a cada movimento que fazia.

A perda de ativos também tirava força da empresa nas rodadas de negociação, pois não havia mais garantias físicas para oferecer. O tempo se evaporava rapidamente. Logo percebemos que as conversas se estenderiam demais. Os principais credores, os bancos Itaú, Bozano, Simonsen e Rural, recusaram diversas propostas, como a conversão da dívida em participação no capital. Tentativas de passar o negócio adiante se frustravam quando os eventuais candidatos à compra tomavam consciência da situação financeira. A companhia não tinha mais fôlego. Mesmo com cortes emergenciais, a sangria permanecia, alimentada principalmente pelo pagamento dos juros da dívida. Nas visitas aos bancos, Flávio passava o recado utilizando uma linguagem mais amena, recheada de eufemismos corporativos, mas com mensagem clara. Coisas do tipo: "Talvez a gente tenha que tomar alguma medida protetiva para preservar o negócio. Temos um limite imposto pela realidade e seria muito bom seguir por um caminho negociado".

Num final de tarde de setembro de 1995, eu e minha equipe deixamos mais uma das inúmeras reuniões com credores sabendo que não voltaríamos. O prazo estabelecido internamente vencia no dia seguinte, embora os representantes dos bancos não soubessem. A situação do caixa, zerado àquela altura do campeonato, impôs a concordata. A notícia causou impacto não só entre os credores e clientes. O efeito junto aos funcionários só não foi mais forte porque no mesmo dia anunciamos que a fábrica de Diadema, onde trabalhavam cerca de quatrocentas pessoas, seria fechada de vez.

O sindicato sempre ganha

Certo dia, pouco antes da concordata, Glauco Abdala chamou um dos 23 diretores da empresa e o demitiu. Nas duas semanas seguintes, ele repetiu o ritual com outros dezesseis executivos do mesmo nível. Ao final da maratona, a Inbrac empregava apenas seis diretores. A dispensa no topo da hierarquia estava vinculada ao redesenho da estrutura fabril da empresa, com a desativação de linhas de produção inteiras, fechamento da maioria das fábricas e extinção de produtos sem perspectivas de rentabilidade. Em determinado momento, apenas três unidades se mantinham em funcionamento. As outras oito foram vendidas (incluindo as três no exterior) ou fechadas.

A planta de Santa Branca concentraria a maior parcela da produção. Localizada no Vale do Paraíba, em São Paulo, a pouco mais de cem quilômetros do ABC paulista, o principal polo automobilístico do país, a unidade apresentava uma vantagem adicional: o sindicato local não atuava com a agressividade de outros centros, como Diadema e Contagem, em Minas Gerais.

Não foi à toa que em Diadema enfrentamos a maior resistência para encerrar as atividades. Afinal, quatrocentos operários perderiam seu emprego, e manter a fábrica aberta tornara-se uma questão de honra para o sindicato dos metalúrgicos do ABC, por ser o berço do movimento operário ligado ao Partido dos Trabalhadores. Nos anos anteriores, o poder de mobilização e a força da entidade garantiram reajustes salariais bem acima da inflação e benefícios extras, pressionando os custos da Inbrac. Somou-se a isso uma gestão desmotivada e acomodada e chegou-se a um ponto irreversível de obsolescência e degradação física na unidade.

Ao perceber que a planta de Diadema estava com os dias contados, os sindicalistas iniciaram uma intensa mobilização, que incluiu o acampamento em frente ao portão. Cientes das dificuldades para desativar a operação fabril, abrimos negociações com o sindicato. As reuniões aconteciam no escritório central da Inbrac, na Chácara Santo Antônio, zona sul da cidade de São Paulo, a cerca de vinte quilômetros de Diadema. Dessa forma, não haveria a plateia que certamente compareceria se os encontros acontecessem no ABC paulista. O problema era que não havia o que oferecer. A situação da Inbrac não permitia. Fomos transparentes: "A gente não tem muito a ceder. Não podemos deixar de demitir e não podemos dar compensações adicionais. Vamos pagar as indenizações legais, nada além disso. A Inbrac está entrando com pedido de concordata para não falir".

Os negociadores do outro lado sabiam que o destino da unidade fabril estava selado. Assunto resolvido, então? Nem de longe. Na longa vivência em companhias com as finanças estranguladas, me relacionei muito com sindicatos até aprender alguns traços comuns a todos eles. O sindicalista é, antes de tudo, um ser político. Seus olhos sempre estão voltados para a base da categoria que representam e para a próxima eleição que enfrentarão. Muitas vezes, defendem (pelo menos, publicamente) propostas inviáveis, embora saibam que não há chances de aprová-las. É o famoso "jogar para a galera". Desde os tempos de Cecrisa, eu ofereço saída honrosa para os representantes dos operários em qualquer negociação, mesmo que não conquistem uma única reivindicação. Muitas vezes, dirigentes de sindicatos apresentam as concessões das empresas como se fossem vitórias obtidas a partir de sua pressão sobre os empregadores.

Outra constatação: com informações e argumentos sólidos, os sindicatos estavam muito mais preparados para negociar do que a maioria dos empresários. Testemunhei diversas vezes líderes de entidades empresariais saindo de rodadas de negociação desmoralizados pelos representantes dos trabalhadores. Minha recomendação para a equipe e para os executivos em geral é deixar acontecer; faz parte do jogo. O importante é escolher e entender o que o outro lado vai ganhar em comparação ao que nós vamos ganhar. Isso vale, aliás, para qualquer negociação. Nunca se deve encurralar um adversário no canto do ringue, porque, se ele não enxerga uma saída, nada tem a perder e se tornará imprevisível e inconsequente em sua reação.

Em Diadema, durante a negociação, batemos pé em pagar apenas os direitos trabalhistas legais para os trabalhadores dispensados. O sindicato não sabia, mas já tínhamos decidido garantir uma indenização extra, incluindo dois meses de salário, extensão da assistência médica e cesta básica por seis meses. Esse pacote foi a "saída honrosa" para os sindicalistas.

O acampamento organizado pelo sindicato permanecia diante do portão da fábrica. Enquanto tocávamos a negociação, traçamos um plano para a retirada paulatina dos equipamentos. Nas semanas anteriores, aceleramos o ritmo de produção para criar um estoque extra e não prejudicar o fornecimento para Volkswagen e Mercedes-Benz durante o período de transição. Começamos a retirar ferramentas e alguns moldes de produtos, que, em função do tamanho, pudessem ser carregados em pequenos caminhões ou até em automóveis.

A prova de fogo ocorreu quando iniciamos a transferência do maquinário mais pesado. Sem condições de furar o bloqueio instalado em frente à fábrica, montamos uma operação para a madrugada de um sábado para domingo. Para evitar conflitos mais sérios, tomamos algumas medidas prévias, como uma autorização judicial de reintegração de posse e o apoio da Polícia Militar, com a precaução de impedir violência de qualquer uma das partes. Os policiais foram meros observadores, e sua presença inibiu eventuais conflitos mais sérios. Como se tratava de um fim de semana, o número de manifestantes era bem menor, embora houvesse crianças e até uma mulher grávida — depois descobriríamos que nem ela nem algum parente seu trabalhava na empresa. Quando os caminhões se dirigiram para o portão, os protestos cresceram.

Aí foi um jogo de paciência. Não recuamos os veículos, mas também não avançamos. Os policiais, em conjunto com Glauco e Flávio Rodrigues, conversavam com o pessoal acampado num clima de muita tensão. Houve momentos de nervosismo, ofensas e até uma ou outra menção de agressão. Felizmente, com o passar das horas e o diálogo, a resistência cedeu, e os caminhões partiram rumo a Santa Branca com os equipamentos. A unidade de Diadema passou a abrigar a área administrativa da Inbrac, aquela da Chácara Santo Antônio, em São Paulo. A mudança representou uma boa economia de aluguel.

No início de 1997, menos de dois anos depois de pisar pela primeira vez na Inbrac, eu me despedia entregando uma empresa menor e com mais perspectiva, embora longe de estar saneada. Com apenas três fábricas e novecentos funcionários, o faturamento anual se manteve em 140 milhões de dólares, patamar semelhante ao da época de nossa chegada, quando a Inbrac tinha onze fábricas e 2500 trabalhadores.

O endividamento, ainda colossal, tinha prazos de pagamento mais alongados e juros menores, depois de uma dura renegociação com bancos e credores (estimulados, por assim dizer, pela concordata). Mais importante: o resultado operacional voltara ao azul, o que garantia folga no caixa para honrar esses compromissos.

No meio dessa maratona, arrumei tempo para cuidar de um assunto crucial para o futuro da Inbrac: um acordo de transferência de know how para fabricação de chicotes automotivos com uma fabricante japonesa, a Yazaki, entrou na berlinda por falta de pagamento de nossa parte. A cooperação tecnológica era primordial para a Inbrac modernizar sua linha de manufatura e seu portfólio de produtos. Por outro lado, e se os credores topassem comprar a unidade de Contagem, em Minas Gerais, que fornecia componentes para a Fiat?

E lá fui eu, atravessar o mundo até o Japão. Mais de 35 horas de voo e conexões em aeroportos. Os anfitriões me receberam com sorrisos e muita educação. Quando nos sentamos para negociar, eles endureceram a conversa sem perder a polidez. Inconformados com a falta de pagamento, não queriam dar nenhum crédito de confiança. Minha argumentação se baseou no plano de transformação em curso na empresa e na nova gestão. Lá pelas tantas, enquanto eu falava, vi meu interlocutor se recostar levemente na cadeira, cruzar as mãos sobre a barriga e fechar os olhos. "Xiiii", pensei. "O sujeito dormiu."

Sem saber como agir, continuei falando até que ele respondeu. Havia ouvido tudo que eu dissera. Mas não emitiu nenhuma palavra. Depois, descobri que se trata de um hábito dos japoneses e uma manifestação de uma cultura recheada de símbolos. O silêncio e os olhos fechados são um sinal de atenção e reflexão sobre o assunto em pauta, como tempos depois identifiquei em Jorge Paulo Lemann. É também uma tática de negociação. Em geral, quando uma pessoa permanece quieta durante uma conversa, o interlocutor, desconfortável com o silêncio, fala ainda mais para romper o mutismo e, inadvertidamente, passa informações para o outro lado.

Na reunião seguinte, o fato se repetiu. Quando percebi que o senhor japonês fechou os olhos, eu fiz o mesmo. E ficamos naquela queda de braço silenciosa. Mas ele tinha mais cancha no assunto, pois, de tempos em tempos, inseguro, eu abria uma fresta nos olhos para verificar se havia alguma reação da parte dele. Nada. Permanecia impassível.

Saí do Japão dias depois, sem acordo para regularizar os pagamentos para a Yazaki nem os convencer a comprar a fábrica de Contagem. Com seu silêncio, o negociador japonês se saiu muito bem e, por isso, eu trouxe na bagagem uma certeza: a capacidade de ouvir traz soluções de problemas aparentemente insolúveis. Há pouco tempo, li uma frase que já foi atribuída aos mais diversos intelectuais, de Eurípides a Fernando Pessoa. Embora o autor seja desconhecido, as palavras não perdem sua força: "Existe no silêncio tão profunda sabedoria que às vezes ele se transforma na mais perfeita resposta".

CAPÍTULO 7

"A Firma"

"Iniciou-se este trabalho procurando identificar as causas que levaram a empresa a apresentar um perfil de endividamento e uma estrutura societária e fiscal que, sob um ponto de vista estritamente técnico, poderia levá-la a uma situação de alto risco envolvendo, possivelmente, aspectos criminais."

A frase acima (destaque para as palavras "aspectos criminais") foi retirada do relatório de diagnóstico organizacional sobre a Firma (nome fictício) preparado pela Galeazzi & Associados em julho de 1996. Pouco menos de três meses antes, fechamos um contrato para socorrer a empresa, na ocasião uma das maiores redes de venda de material de construção do país. Controlada por um grupo familiar, encontrava-se em situação pré-falimentar.

Na Firma, encontramos problemas que derrubam muitas empresas familiares. Por exemplo: a miopia que as impede de enxergar mudanças de mercado. Outra: a ânsia pela expansão sem limites e critérios. Mais uma: as fronteiras porosas entre o caixa da empresa e a conta corrente pessoal dos acionistas. Mas o fator preponderante que colocou a Firma no rumo da bancarrota residiu na questão ética — e, por isso, destaco esse caso. Para muitos, trata-se de um desvio a ser evitado por força dos princípios e valores que devemos seguir em todos os papéis que desempenhamos na vida, do profissional ao familiar; do comunitário ao social. Concordo plenamente. Mas não é só isso.

Poucos entendem que a postura ética não é apenas um ingrediente na reputação da empresa, e sim parte integrante do negócio, tão importante como uma boa política de vendas, controle de custos ou gestão do caixa. Atividades ilegais (como sonegação, suborno etc.) podem comprometer seriamente o futuro da organização. A partir da Operação Lava Jato, as investigações das ações criminosas envolvendo grandes grupos empresariais, companhias estatais e agentes políticos escancararam esse problema, que até então não havia sido devidamente confrontado no meio corporativo.

O relacionamento entre empresas e o setor público sempre foi incestuoso. A diferença em relação ao passado é que hoje corrupção e fraudes adquiriram uma dimensão inimaginável e se tornaram de conhecimento geral. A história mostra que infelizmente sempre houve corrupção. Os filósofos e autores gregos a estudavam e a condenavam. Na Roma antiga, tratava-se de um problema endêmico. Uma das principais passagens da Bíblia, a agonia e morte de Cristo, começa com um caso de corrupção, quando Judas Iscariotes recebe dinheiro para delatar seu líder.

No Brasil, a corrupção atingiu um estágio inédito, envolvendo inclusive a elite empresarial e política. Com a repercussão da Lava Jato, talvez haja uma enorme reviravolta ética e moral. Numa entrevista que concedi à revista *Istoé Dinheiro*, o jornalista perguntou se "isso significa o início de uma nova era na gestão pública". Minha resposta: "Sem dúvida, seria desejável que fosse o início de uma nova era. Quando a empresa não tem esse tipo de interferência, a tendência é que traga resultados, seja mais transparente e tenha mais responsabilidades morais e éticas".

A corrupção não prolifera apenas por pressão de políticos e outros agentes públicos interessados em obter vantagens. As empresas, como corruptoras, têm responsabilidade tão grande quanto a daqueles que recebem dinheiro de maneira ilícita. Na entrevista à *Istoé Dinheiro*, destaquei que, em primeiro lugar, o mundo corporativo deve se pautar por "uma postura ética". Algumas empresas procuram se justificar argumentando que, "se não entrarem no esquema, acabam morrendo. Isso não é válido", afirmei ao repórter. No meu caso, na Armaq, não entrei no esquema e quebrei. Há grupos empresariais que não aceitam esse tipo de chantagem e apresentam excelente desempenho, pois são bem administrados. Os que recorrem às práticas ilícitas em geral não têm competência para administrar seus negócios e compensam a ineficiência com a corrupção.

Quando presidia a Lojas Americanas, no final dos anos 1990, enfrentei pelo menos duas situações que revelam como reagir a propostas, digamos, pouco ortodoxas. Numa delas, um fiscal alegou diversas irregularidades (que, em nossa opinião, não existiam) numa unidade de Osasco, cidade da região metropolitana de São Paulo, e pediu 100 mil dólares para não fechar o estabelecimento. Assim que o assunto pousou em minha mesa, eu disse não. No dia seguinte, o fiscal teve uma decepção: ao chegar à loja, encontrou as portas fechadas. Como o imóvel precisava de reformas, aproveitei o momento e determinei o encerramento da loja. A decisão gerou um grande mal-estar entre os bandidos da prefeitura, pois temiam que denunciássemos a chantagem. Após a reforma, reabrimos a loja e nunca mais tivemos problemas com os fiscais desonestos.

Em outra ocasião, desta vez no Rio de Janeiro, recebi a informação de que a Lojas Americanas seria multada em 200 milhões de dólares, um valor estratosférico. Curiosamente, o aviso chegou antes da autuação. Um típico caso em que se cria a dificuldade para vender a facilidade. Mais de uma pessoa me procurou para "fazer uma ponte" com quem "poderia dar um jeito nesse caso" — um dos facilitadores era cunhado do presidente de um banco.

O roteiro era o seguinte: em vez de 200 milhões de dólares, a punição cairia para 50 milhões ("para não dar na vista"), e a companhia pagaria mais 20 milhões de dólares para os agentes de fiscalização. Se eu quisesse, parte da propina (uns 20%) voltaria para mim. Todos os interlocutores receberam a mesma resposta: um retumbante *não*. E um convite para sair da sala imediatamente.

Os acionistas controladores (Jorge Paulo Lemann, Marcel Telles e Beto Sicupira) prestaram total apoio, mesmo sabendo que o custo poderia ser enorme. A beleza de trabalhar com eles é que oferecem suporte aos executivos sem a prepotência de dizer o que tem que ser feito. Enfim, não paguei um tostão, e o que aconteceu? Nada. Tratava-se de um blefe de gente mal-intencionada e disposta a faturar algum dinheiro em cima da Lojas Americanas.

Ora, se é possível driblar tais armadilhas, por que algumas companhias embarcam nessa onda? Porque muitas vezes é mais fácil. Elas desembolsam alguns milhões de reais e diversos problemas se resolvem como em um passe de mágica. Não sobrevivem por conta de suas competências e dos bons serviços prestados, o que exige mais esforço, trabalho e talento. Os gestores não percebem que, ao escolher esse caminho, nunca mais sairão dele e comprometerão a sustentabilidade do negócio. Se sua competitividade vem da corrupção, não vai perdurar, e os fiscais se tornam "sócios" permanentes da empresa, pois é quase impossível suspender a prática.

Vício corporativo

Na análise sobre a corrupção no meio corporativo, uma pergunta deve ser respondida: como ela adquire essa dimensão sem gerar uma reação interna contrária? Arrisco uma hipótese. Os dirigentes empresariais tomam decisões em caráter temporário para resolver problemas pontuais. Só que, com o tempo, vão sendo replicadas até se incorporarem ao modelo de gestão. Assim, se transformam numa espécie de vício corporativo e criam dependência entre os administradores. Na Firma, o "vício" era a sonegação fiscal recorrente e crescente. O relatório de diagnóstico organizacional da Galeazzi & Associados não disfarçava (com certa ironia) nossa surpresa diante do quadro que encontramos. "A empresa, no afã de não pagar impostos, optou pela saída mais fácil de gerenciamento de seus compromissos fiscais, ou seja, o de complicar para não recolher, até se perder no emaranhado criado por ela mesma com singular brilhantismo."

Por que os vícios corporativos em suas diversas formas se propagam com tamanha rapidez e intensidade? No mesmo relatório, faço uma análise que não se restringe à Firma e, sim, ao mundo empresarial em geral:

> Na grande maioria das organizações familiares, os dirigentes, principalmente os sucessores, não foram, normalmente, expostos a uma preparação acadêmica ou mesmo ao preparo que lhes confeririam uma experiência mais abrangente nas áreas administrativas e financeiras. Estes dirigentes, iniciando suas carreiras ainda muito jovens, foram treinados unicamente em suas próprias empresas, e, por tradição, procuram resultados cada vez maiores visando quase que tão somente volumes de produção e vendas, nas empresas industriais, e de vendas, nas empresas comerciais. Dificilmente reconhecem o fato de que a estrutura qualitativa das diversas áreas (financeira, administração, recursos humanos, informática e comercial) deve acompanhar o crescimento quantitativo, na maioria das vezes desordenado, das vendas.

Enfim, os executivos adquirem o hábito de avaliar os resultados exclusivamente "pelos volumes e em ganhar dinheiro através de uma metodologia canhestra, insustentável em empresas de grande porte". Nesses casos, os números analisados superficialmente são enganosos e mostram uma prosperidade que não existe, como alertávamos no documento:

> Esta combinação sedutora entre, de um lado, a obsessão dogmática por volumes e, do outro, o entusiasmo gerado pelos resultados quantitativos obtidos nas vendas, atípicos, artificiais e, consequentemente, temporários, fizeram com que estas empresas buscassem ampliação, de forma improvisada e intempestiva, de suas lojas e capacidade de crescimento.

A Firma era um retrato desse modelo. As receitas apresentavam uma alta acelerada, fruto da ânsia de crescimento a qualquer custo citada no relatório. Com sete grandes lojas, o grupo faturou mais de 270 milhões de reais em 1995, contra 170 milhões no ano anterior.

Em compensação, os demais indicadores mostravam uma organização à beira do colapso.

A dívida com bancos e fornecedores, de 27 milhões de reais, não parecia preocupante diante do faturamento, mas o vencimento desse total se daria nos meses seguintes. Pior: a empresa não gerava dinheiro suficiente para pagar todas as obrigações. A geração de caixa era negativa em mais de 2 milhões de reais mensais. Os estoques se encontravam em nível absurdo, de 84 milhões de reais, equivalente a sete meses de vendas futuras. O aceitável (não desejável ou ideal) seria algo em torno de um mês e meio a dois meses. Dessa forma, o patrimônio líquido batia em 15 milhões de reais negativos. Mesmo se vendesse todos seus ativos, a Firma não conseguiria honrar seus compromissos financeiros.

Como a empresa financiava um passivo de tal montante? Pagando cada vez menos impostos. Logo nos primeiros dias, Glauco Abdala entendeu o funcionamento da máquina. Todas as noites, um exército de quarenta pessoas tomava conta das lojas para refazer as notas fiscais das vendas realizadas durante o dia e equacionar os estoques, sempre achatando o montante comercializado e, por tabela, o valor recebido, o que diminuía os impostos. A redução ficava entre 65% e 70%, ou seja, de cada 100 reais efetivamente vendidos, anotava-se apenas de 35 reais a 40 reais. Por exemplo, uma nota fiscal de 50 reais se transformava nos livros fiscais em um registro de 20 reais e, com base neste valor, os impostos devidos eram calculados.

A maquiagem dos números só se tornou possível porque a fiscalização fazia vistas grossas. E cobrava por isso. O esquema era insustentável. O controle das operações para recriar o faturamento da empresa exigiu a montagem de uma estrutura de caixa dois que tomou proporções inimagináveis. Em um bairro residencial na região do Grande ABC paulista, a Firma alugou algumas pequenas casas, onde mantinha a contabilidade paralela. Ali trabalhavam quase cinquenta pessoas, dedicadas a organizar os números da companhia. Enfim, o esquema de sonegação mobilizava quase cem pessoas, pouco menos de 10% do quadro da companhia. Era a administração dentro da administração.

No comando dessa megaoperação estava um executivo chamado Fritz (nome fictício), dono, em conjunto com a esposa, de uma firma de contabilidade. Fritz era mais do que um prestador de serviços. Homem de confiança dos acionistas, ele se tornou sócio da companhia em troca do trabalho realizado. Em 1996, sua participação no capital do grupo atingia 20%.

Nele residia o maior foco de resistência ao processo de transformação. O rompimento com o modelo significava um golpe fatal em seu poder interno, que tinha origem na complexidade e obscuridade daquela estrutura. Ao longo dos anos, ele convencera os demais acionistas que, sem aquela máquina contábil e, principalmente, sem sua presença para mantê-la em funcionamento, a empresa ficaria paralisada. Mais uma vez, estava eu diante de um "insubstituível".

Não havia como salvar a Firma sem desmontar o esquema. Primeiro, porque nunca aceitei nenhum tipo de ilegalidade nos projetos em que me envolvi. Segundo, porque a estrutura paralela saíra de controle em função de seu tamanho e contaminara os processos de decisão. Tudo girava em torno disso. Os próprios acionistas criavam negócios particulares com recursos extraídos do caixa da empresa.

Havia ainda um nó sério na governança. O controle acionário se encontrava dividido pelos filhos do fundador e os descendentes de um quinto irmão já falecido. Para conciliar o emaranhado de interesses, instituíram a presidência rotativa com mandatos de dois anos, sempre pressionados pela sombra do poder paralelo representado por Fritz. Um salseiro sem tamanho.

Não podíamos, contudo, desarticular o esquema bruscamente. A empresa quebraria e, com isso, funcionários, fornecedores e prestadores de serviço perderiam seus trabalhos. E a missão da Galeazzi & Associados é salvar clientes, não os arruinar de vez. Por isso, também não caberia denunciar publicamente o esquema. Nesse ponto, somos como advogados: o sigilo é sagrado.

Os irmãos sócios da Firma perceberam que o controle havia escapado de suas mãos bem antes de nossa chegada e sabiam que, sem mexer no vespeiro do caixa dois, a chance de recuperação se aproximava do zero. Mas, nesses casos, existe uma distância abismal entre tomar a decisão de mudar e a execução do plano. Os compromissos assumidos ao longo dos anos, os laços emocionais com diversos funcionários e a desconfiança mútua entre os acionistas impediam que a intenção se transformasse em uma atitude concreta. Aí entra o papel de especialistas em *turnaround*, como a Galeazzi & Associados, com capacidade de planejamento e, sobretudo, de execução.

Fritz não aceitou passivamente a ideia da mudança. De tempos em tempos, revelava um lado sombrio. Certa vez, ele e Glauco se dirigiam para uma reunião quando, ao parar o automóvel no farol, um ladrão se aproximou e exigiu o relógio Rolex que Fritz carregava no pulso. Sem vacilar, ele entregou o objeto e disse: "Faça bom proveito". Assim que partiram, abriu o porta-luvas e tirou outros dois relógios da mesma marca. Colocou um e entregou outro para o Glauco. "Pode usar sem preocupação. É falsificado. Tenho uma coleção desses. Bandido entende de bandido."

Foi com esse personagem que Glauco negociou o desmonte do caixa dois. O encontro ocorreu numa das casinhas do ABC onde funcionava a contabilidade da empresa. Glauco chegou alguns minutos antes do horário marcado, acompanhado de Júlio Câmara, outro membro da equipe da Galeazzi & Associados. Logo Fritz entrou na sala, e o espetáculo começou. Vestido com um uniforme camuflado semelhante ao utilizado pelo Exército, carregava debaixo do braço um capacete antigo. Ao colocá-lo sobre a mesa, disse: "Isso aqui foi presente de um ex-oficial nazista que veio para o Paraguai depois da Segunda Guerra Mundial. De vez em quando, dou uma ajuda para ele".

Depois, abriu uma bolsa grande, retirou uma arma que parecia uma metralhadora e passou a explicar o funcionamento do mecanismo. Tudo em tom de brincadeira. Histórias sobre sua relação com ex-nazistas e seus métodos truculentos de negociação corriam os corredores da Firma. Glauco não sabia o que havia de verdadeiro nos relatos, mas não tinha dúvidas de que a arma à sua frente era bem real. Um dos sócios que acompanhava Glauco entrou em pânico. "Achei que o Glauco não escapava daquela", comentou. Depois de mostrar o arsenal, Fritz disse, ainda de maneira jocosa: "Bem, agora vamos negociar...".

Glauco sempre mantém a calma e a serenidade, mesmo nas situações mais tensas. Aos poucos, demonstrou que o quadro fiscal da empresa não mais se sustentava naquelas condições. Com as planilhas nas mãos, provou que a estrutura contábil consumia mais recursos do que o pagamento correto de todos os impostos e, por isso, os demais acionistas por unanimidade exigiam a mudança. Após algumas rodadas de conversa e traçar um plano de transição, "para que eu não caia na pobreza", como ele mesmo dizia, Fritz aceitou a troca de comando, incentivado ainda por uma indenização e a manutenção de sua fatia na empresa.

A economia foi brutal. As quase cem pessoas que trabalhavam nas casinhas de São Bernardo do Campo e nas lojas durante a noite foram substituídas por uma gerente de contabilidade contratada por nós e apoiada por mais dois funcionários, um deles estagiário, confirmando o inchaço desproporcional da estrutura anterior.

Assim que mudamos o modelo de negócios, passando a recolher impostos corretamente, o faturamento deu um salto e atingiu 360 milhões de reais em 1996, quase 100 milhões a mais do que no ano anterior. Surpreso, o mercado atribuiu o resultado ao trabalho de recuperação realizado pela Galeazzi & Associados, o que era apenas parcialmente verdadeiro. Boa parte do crescimento veio da simples contabilização de vendas que não eram registradas formalmente antes de nossa chegada à empresa. Aceitamos com humildade os elogios, eu e minha equipe, porque além do saneamento contábil promovemos uma reestruturação nos negócios que transformou a Firma num alvo cobiçado pelos concorrentes.

Caixa dois, um entrave

O trabalho na Firma se desenrolou basicamente em duas frentes. Numa delas, ajeitávamos as contas, informatizando as operações financeiras e criando sistemas de controles de compras, vendas e estoques. A segunda frente se concentrava na operação. Passamos um pente-fino em todos os contratos da companhia. Mais de duzentas negociações foram abertas. Com os fornecedores, definimos novos prazos de pagamento e conseguimos reduções significativas de preço. Em contrapartida, garantimos volumes mínimos de compra e exclusividade para algumas marcas.

Ao mesmo tempo, aceleramos um plano que os acionistas haviam traçado pouco antes da contratação da Galeazzi & Associados. O objetivo era se afastar da imagem de loja de material de construção e adotar o conceito de *home center*. Qual a diferença? No primeiro caso, as vendas se concentram em itens básicos, como cimento, tijolos, material hidráulico, prego, parafuso etc. Já o *home center* oferece uma ampla gama de produtos mais elaborados, como lustres, algumas linhas de móveis, eletroportáteis, utilidades domésticas, entre outros.

Ao optar por essa configuração, a empresa passou a reter o consumidor na fase seguinte à da construção ou da reforma — a da decoração. Para reduzir os estoques e trazer mais clientes para dentro das lojas, demos partida num período de promoções agressivas nos descontos e breves nos períodos de duração. A transição de modelo também permitiu acentuar a redução de pessoal que já estava sendo promovida. Quando a Galeazzi & Associados assumiu a consultoria da Firma, eram 1200 funcionários — anos antes, no auge das vendas, o número bateu em 2 mil. Quando nos despedimos, não havia mais de seiscentas pessoas trabalhando na companhia. E sem prejuízo na qualidade de atendimento ou no faturamento.

Depois de enxugar o quadro e arrumar a contabilidade, os resultados apareceram em menos de um ano. O sinal mais forte da recuperação foi emitido por um grupo francês, um dos líderes globais no mercado. Interessados em atuar no Brasil, executivos do grupo desembarcaram aqui para conhecer empresas locais. Nas visitas à Firma, eles gostaram do que viram, e as conversas avançaram. Com a eventual aquisição, os franceses já estreariam no país na liderança do setor. Tudo caminhava bem, mas os advogados acenderam o sinal vermelho. O grupo francês preparava o lançamento de ações na Bolsa de Nova York e para isso, advertiram eles, precisava apresentar informações contábeis detalhadas e idôneas dos dez anos anteriores. Se a Firma fosse incorporada, não seria possível cumprir esse requisito. "Hoje, está tudo bonitinho, mas o histórico da empresa é muito ruim por causa do caixa dois", explicou um dos negociadores franceses.

Enfim, a transação não se concretizou naquela oportunidade, mas a estrada estava aberta. Tempos depois, em janeiro de 2002, as seis lojas da Firma foram vendidas para um concorrente brasileiro. O negócio, no valor de 43 milhões de reais, só envolveu os pontos de venda, não a empresa controladora, que manteve os passivos e as dívidas acumuladas nos anos anteriores. Acompanhei o desfecho do negócio pelos jornais, pois, no final de 1998, a Galeazzi & Associados deixara a companhia. Como acontece na maioria dos projetos, assim que os resultados aparecem, os acionistas anseiam por voltar ao comando das operações, o que significa abrir mão de minha autonomia. Não aceitei. Além disso, eu já havia mergulhado em outro desafio, que me abriu as portas para trabalhar com uma das principais lendas do capitalismo brasileiro, Jorge Paulo Lemann.

Aos dezoito anos, no Arizona, durante temporada de estudos nos Estados Unidos.

Com minha avó Zenta, presença sempre carinhosa na infância.

Com meu padrasto, Frederik L. Hirst, e minha mãe, Eugênia, inspirações de sempre.

Final da década de 1970, como presidente do Conselho Nacional do Sesi.

Aviação, uma paixão que também me ensinou a lidar com crises. Abaixo, com um de meus aviões anos atrás; ao lado, o simulador de voo que uso para manter a forma como piloto.

Na academia: a atividade física é imprescindível para a qualidade de vida.

Na capa da revista *Exame* em 1993: momento fundamental para firmar a imagem de especialista em recuperação de empresas.

Mococa: conflito com um dos sócios e negociação bem-sucedida com os bancos.

Como presidente na Lojas Americanas: a briga contra a síndrome do "sempre fizemos assim".

Com o time de sócios do BTG: Pérsio Arida (segundo sentado da esq. para a dir.), José Luiz Acar (quarto sentado da esq. para a dir.) e André Esteves (quinto sentado da esq. para a dir.).

CAPÍTULO 8

Artex

Carlos Alberto Sicupira apontou para uma mesa e uma cadeira ao lado da sua, na sede do GP Investimentos, e disse: "Quando você quiser, este lugar é seu". Beto Sicupira, como todos o chamam, é sócio de Jorge Paulo Lemann e Marcel Telles no 3G Capital, um dos mais icônicos fundos globais de *private equity* (fundos que adquirem participações acionárias de diversas companhias). O trio se tornou lenda viva do capitalismo mundial ao adquirir grandes companhias e transformá-las em máquinas de eficiência e lucratividade, como AB InBev (maior cervejaria do mundo), Burger King, Kraft Heinz, Tim Hortons, Lojas Americanas, entre outras. São reconhecidos pelo arrojo nos planos de expansão e pelo rigor com que cobram de suas equipes resultados rápidos, recorrentes e consistentes. Em contrapartida, as recompensam com bônus milionários e ascensão profissional. Especialistas consideram o sistema desenvolvido pelo trio como uma das mais bem-sucedidas aplicações do conceito de meritocracia no universo corporativo. Eles delegam, não interferem no dia a dia, mas cobram resultados.

O comentário de Beto Sicupira ocorreu no início de 1997, e o posto oferecido era o de sócio do GP Investimentos, o fundo criado por ele, Lemann e Telles, antecessor do 3G Capital. O entusiasmo se devia à meteórica recuperação em uma das empresas de seu portfólio, a Artex, segunda maior fabricante de artigos para cama, mesa e banho do país. Menos de seis meses depois de assumir a presidência, apresentei a eles um lucro operacional de 4,6 milhões de dólares no primeiro trimestre de 1997.

Pouco? Sim, para uma companhia com faturamento anual superior a 240 milhões de dólares. Mas muito para quem amargava dez anos consecutivos de perdas. Em 1996, por exemplo, o prejuízo operacional bateu em 11,2 milhões de dólares. O resultado líquido também deu um cavalo de pau — o prejuízo de 40,2 milhões de dólares em 1996 encolheu para 1,2 milhão de dólares no primeiro trimestre de 1997, indicando claramente que em dezembro já estaria no campo positivo. O Ebitda (lucro antes de impostos, depreciações e amortizações) nos três primeiros meses de 1997 atingiu 7,8 milhões de dólares, mais da metade do valor obtido no ano anterior inteiro. Nunca, até então, um projeto capitaneado por mim gerou frutos com tal intensidade num período tão curto como esse — e nos anos seguintes, mais de uma vez a história se repetiu.

A Artex havia se tornado uma tremenda dor de cabeça para o GP desde a aquisição, em 1993. Dona de uma marca de muito prestígio junto aos consumidores e de três grandes fábricas, onde trabalhavam 4800 pessoas, a empresa era um poço de ineficiência, ao contrário do que sugeria sua imagem. A dívida bancária somava o equivalente à metade das receitas.

A situação se agravou com a compra, ainda em 1993, da linha lar (produtos para cama, mesa e banho) da Santista Têxtil por 34 milhões de dólares. Uma reportagem da *Exame*, publicada tempos depois, considerava a incorporação "um desastre". "Em 1994, pouco depois da compra, o maquinário da Santista foi qualificado como sucata num relatório da própria Artex", informou a revista. Funcionários e fornecedores encontravam-se desmotivados e não acreditavam numa reviravolta da situação.

Os investidores compartilhavam essa percepção. Logo depois de o GP adquirir o controle acionário da Artex, as ações saltaram para oito reais, impulsionadas pela proverbial capacidade do fundo de transformar negócios ruins em operações rentáveis. Na portaria da empresa, em Blumenau, Santa Catarina, uma faixa foi estendida com os dizeres: "Agora, a Artex vai ser a número 1", numa referência ao famoso slogan publicitário da Brahma, a cervejaria que Lemann, Sicupira e Telles haviam revigorado anos antes. A fama, embora justificada, não se converteu em resultados daquela vez, numa raríssima exceção na trajetória vitoriosa do trio de empreendedores.

Em 1997, quando lá cheguei, os papéis quase tinham virado pó, cotados a apenas sessenta centavos. Isso mesmo: menos de 8% do valor de quatro anos antes. A coisa ia de mal a pior, a tal ponto que minha missão, segundo Beto Sicupira, consistia em "fechar ou reduzir drasticamente a operação pelo menor custo possível". Só que os números indicaram outro caminho — doloroso, mas muito menos traumático.

Sintomas, não causas

Números não mentem, diz o senso comum. Pois minha experiência diz que mentem, sim. Basta não os analisar com atenção e eles pregarão uma peça em você. Sou um entusiasta do acompanhamento permanente dos indicadores de uma companhia. Eles oferecem um retrato preciso da situação financeira e mercadológica da organização e são os sintomas mais claros (e não as causas) de que as coisas não andam bem.

Por isso, a primeira ação da Galeazzi & Associados ao iniciar um projeto é o que chamamos de diagnóstico, um processo que leva no máximo noventa dias. A equipe responsável mergulha nos meandros da organização com o objetivo de colher o sentimento geral entre os funcionários, conhecer em profundidade as instalações, entender a cultura e, sobretudo, levantar os números nevrálgicos que compõem o painel da situação.

Trata-se de uma tarefa que requer muito cuidado. Como já comentei, os números podem falsear, sim, a realidade, mostrando um quadro mais amigável do que é na verdade. Em empresas atingidas por uma crise, isso é mais comum do que se pensa. Má-fé? Não necessariamente. Muitas vezes, a maquiagem faz parte da postura de negação do empresário e dos executivos diante dos problemas, conforme expliquei em outras passagens deste livro, de só enxergar aquilo que não incomoda e dá alguma esperança para sair do enrosco, embora não saibam exatamente como isso acontecerá.

Por isso, a coleta de informações exige atenção redobrada para corrigir os possíveis desvios existentes nos relatórios. Além disso, montamos o que chamamos de árvore de números, ou seja, a decomposição dos dados mais genéricos de forma a revelar cada uma das partes que os formam. Por exemplo: o faturamento da empresa. Esse é um indicador geral. Mas qual a contribuição de cada mercado, região ou produto nesse faturamento? O mesmo vale para o lucro de uma companhia. De onde vem? De qual mercado? De qual região? De qual produto?

O cruzamento de tudo isso pode revelar surpresas do tipo: o item mais vendido do portfólio de uma empresa gera um lucro pífio ou até prejuízo. Num primeiro momento, eu me atenho aos grandes indicadores e deixo o detalhamento para meu time. No caso da Artex, o balanço era bastante confiável, pois o pessoal do GP já se dedicara, com sucesso, a eliminar as distorções. Talvez por isso, numa das primeiras apresentações sobre a situação financeira da companhia, bati o olho e disse: "O problema está ali".

Meu dedo apontava para a linha dos custos. Sim, o faturamento crescia, e a margem bruta batia em 30%, um índice excelente. As despesas, por outro lado, encontravam-se num nível elevadíssimo. Essa avaliação desmontava o argumento utilizado internamente para justificar o estado precário das contas. Segundo a linha de pensamento corrente na empresa, a culpa primordial era da China, que inundava o mundo com produtos têxteis a preços imbatíveis, "esmagando a concorrência", como falavam. O real supervalorizado na época alimentava ainda mais a invasão de lençóis e toalhas com a etiqueta *made in China*.

O inimigo externo é sempre útil em companhias mergulhadas no clima de incerteza. Até hoje trata-se de uma estratégia muito popular no meio empresarial brasileiro. Apresentada como mãe de todos os males, sua existência isenta a gestão de responsabilidades e da necessidade de mudanças. Cria ainda um sentimento de união interna, abafando opiniões contrárias e estabelecendo um consenso tão conveniente quanto falso. Afinal, a prioridade é enfrentar a ameaça que vem de fora e discutir divergências dentro de casa. No caso da Artex, era impossível negar o peso dos concorrentes asiáticos nas dificuldades do setor no final da década de 1990 (e até hoje, aliás). Mas isso não poderia servir para mascarar as demais causas, muitas vezes mais determinantes do que fatores exteriores. "Por que, então, outras empresas brasileiras do setor são lucrativas se enfrentam as mesmas condições de mercado?", perguntava eu aos diretores.

A solução para as aflições da Artex se encontrava dentro de casa, e começaria com um profundo corte nos custos. Aplicamos a receita clássica nesses casos. Todos os processos da companhia passaram pelo pente-fino de nossa equipe, e encontramos várias fontes de ineficiência e baixa produtividade. Certa vez, li um artigo que citava a expressão "integral do erro", utilizada pelo empresário Paulo Cunha, ex-presidente do conselho de administração do Grupo Ultra. Ele se referia a políticas e programas que se revelavam equivocados em sua concepção e, na tentativa de corrigi-los, eram cometidos novos erros que agravavam ainda mais o cenário.

Não é raro identificar áreas na empresa que vivem sob o signo da "integral do erro". Na Artex, o departamento de tecnologia da informação padecia desse mal. Foi minha primeira oportunidade de tratar dessa área com mais profundidade. A empresa havia comprado um sistema de gestão de um fornecedor de Blumenau. Desde então, os nossos técnicos passaram a customizar o software, ou seja, incorporar novas aplicações e funções para atender às demandas de diversas áreas internas.

Com o tempo, o programa se transformou numa colcha de retalhos, com três sérias consequências. A primeira era a perda de referência. A partir de certo momento, ninguém mais sabia o que havia dentro daquele sistema, e sua administração se tornava inviável. Segunda: quando o fornecedor lançava uma atualização do software original, ela não servia para a Artex, que usava uma versão totalmente desfigurada pela customização incessante. Terceira: para manter a colcha de retalhos em funcionamento, o setor empregava cerca de 120 pessoas, gerando um enorme custo. Ou seja, erros gerando erros numa espiral sem fim.

Não havia solução gradual para o imbróglio tecnológico que se formou. Então decidi fazer um corte amplo e cirúrgico. Mais de 80% da equipe foi dispensada, e determinei que o sistema não sofresse mais nenhuma alteração até que se avaliassem os resultados das customizações feitas até aquele momento.

Muitos gestores defendem que decisões em áreas estratégicas, como tecnologia da informação, devem ser precedidas de amplas discussões. Nesse processo, segundo eles, brotariam ideias criativas que não exigiriam sacrifícios extremos e não ameaçariam o bom andamento dos negócios. Isso não vale para os casos mais agudos de *turnaround*, simplesmente porque não há tempo para debates.

Certa vez, ouvi de um executivo que atitudes monocráticas e assertivas ferem os conceitos da administração moderna. Bem, já que estamos falando de conceitos, deixo a resposta para Peter Drucker, um dos grandes pensadores no campo da estratégia empresarial. Em seu livro *A administração da próxima sociedade*, ele escreveu:

> Há alguns anos falava-se muito a respeito do fim da hierarquia. Formaríamos uma grande e feliz tripulação, navegando juntos no mesmo barco. Bem, isso não aconteceu e não está para acontecer, por uma razão simples: quando o barco está afundando, não se convoca uma reunião — dá-se a ordem. É preciso haver alguém que diga: "Chega de confusão — é assim que vai ser". Sem um tomador de decisões, nenhuma decisão será tomada.

O barco da Artex estava indo a pique, e alguém precisava gritar: "Chega de confusão — é assim que vai ser". Proibi terminantemente novas customizações e só mantive o que gerava informações necessárias para a contabilidade, como Demonstrativos dos Resultados do Exercício (DRE) e balanços.

Alguns técnicos de TI me alertaram sobre o risco do impacto da repentina paralisação na customização do sistema. Pois o que aconteceu? Nada, a não ser uma enorme economia de recursos. Desde então, nas empresas em que atuei, defini como regra não customizar mais do que 5% de um pacote original.

Assim como na área de TI, esmiuçamos toda a estrutura de custos da Artex e identificamos o que era passível de corte. O quadro de pessoal da companhia, de 4800 funcionários, foi reduzido em 24%. No total, as despesas caíram 32%. Não foram os únicos cortes. O portfólio de produtos passou por um processo de racionalização — ficaram aqueles com rentabilidade maior. A empresa reforçou os investimentos em treinamento, sobretudo no chão de fábrica, sempre com vistas a elevar a produtividade. E pedi para que pintassem as guias das ruas internas do parque industrial e os muros externos com cores mais vivas para estimular o ambiente — antes era tudo muito cinza. O visual é muito importante para a motivação.

Em quatro meses à frente da Artex, os resultados saltavam aos olhos. A receita líquida subiu quase 10%. Somado à forte redução de custos, esse crescimento levou a um aumento de 44,3% na produtividade medida pelas vendas por empregado. O vermelho sumiu do balanço e deu lugar a um lucro de 10 milhões de dólares. E Beto Sicupira me ofereceu um lugar no grupo de sócios do GP Investimentos, como comentei no início do capítulo. A casa estava relativamente em ordem, mas ainda faltava dinheiro para modernizar o parque industrial, que mergulhara na obsolescência em razão de seguidos anos sem investimentos. De onde viriam os recursos? Mais uma vez, comprovei que o silêncio é mágico, pois a resposta veio de minha disposição de falar pouco e ouvir muito.

Obcecado por números

No final de 1997, Wilson Amaral era um jovem ativo, contratado pela Artex pouco antes de minha chegada para ocupar a vice-presidência comercial. Em uma de nossas primeiras conversas, ele me falou sobre os preparativos de sua mudança de São Paulo para Blumenau, onde ficava a sede da empresa. "Por que se mudar? Nossos principais clientes, os grandes varejistas, estão em São Paulo. Então, prefiro que você continue perto deles."

Wilson ficou radiante com a demonstração de confiança. Além disso, a decisão facilitaria sua vida, totalmente estabelecida e organizada em São Paulo. Com isso, se tornou um importante aliado no processo de *turnaround*. Um dia, durante uma conversa, ele sugeriu procurarmos a Coteminas, o maior grupo têxtil do país na ocasião. Ao longo dos anos anteriores, a empresa aproveitou a retração do setor para adquirir diversos concorrentes e multiplicar seu tamanho rapidamente.

O fundador e principal acionista da Coteminas era o futuro senador mineiro José Alencar Gomes da Silva, que, mais adiante, seria vice-presidente da República durante os dois mandatos de Luiz Inácio Lula da Silva. Em função de sua dedicação à política, passou o bastão na condução dos negócios ao filho, Josué Christiano Gomes da Silva.

O que isso tudo tinha a ver com a Artex? A lógica de Wilson era cristalina: a Artex precisa modernizar as fábricas e tinha uma marca conhecida e reconhecida no mercado. Já a Coteminas contava com um parque industrial de ponta em termos tecnológicos, mas lhe faltava um nome e marcas fortes junto ao consumidor. Enfim, o que uma necessitava a outra tinha. Por que não unir os interesses? Eu me convenci. Lemann, Sicupira e Telles também. Eles nos deram carta branca para a negociação.

Dias depois, as conversas com Josué já se encontravam em andamento. Foi uma jornada dura, que me lembrou as tratativas com os japoneses na época da Inbrac. Josué, um jovem inteligente, cartesiano e articulado, conduziu com maestria a fase de maior expansão do grupo fundado por seu pai. É obcecado por números, assim como eu. E detalhista ao extremo, ao contrário de mim. Mais de uma vez, quando nos aproximávamos de um acordo final, ele reabria a discussão em algum ponto já decidido. Um negociador que vence pelo cansaço, sempre com o objetivo de ganhar um pouco mais. É uma atitude legítima.

Quando finalmente chegamos a um consenso, agendamos a

reunião derradeira para um final de tarde nas últimas semanas de 1997. Antes de colocar sua assinatura no contrato, Josué levantou mais uma questão e arrastou as discussões noite adentro. Às duas horas da madrugada, não havíamos encontrado um denominador comum satisfatório. Exausto e muito irritado, levantei e fui embora. Algumas horas depois, ainda antes de amanhecer, Wilson ligou para mim, anunciou a conclusão do negócio e disse que me aguardavam para a assinatura do documento final. "Não é necessário. Você pode assinar."

E voltei satisfeito para a cama. Da fusão entre as duas companhias, surgiu a Toalia, cuja gestão ficou sob responsabilidade de Josué. Anos depois, as duas partes apelaram à Justiça para resolver divergências que surgiram ao longo do caminho. Quando o caso chegou aos tribunais, eu já estava afastado havia muito tempo, desde fevereiro de 1998, logo depois que as empresas se uniram.

Na ocasião, Josué propôs que eu permanecesse na empresa para avançar com as transformações. Recusei o convite. O perfil detalhista dele se chocaria com meu estilo baseado em decisões rápidas, mas fundamentais e muitas vezes intuitivas. Além disso, o GP Investimentos me convocou para outra missão. E não se tratava do posto entre os sócios do fundo de *private equity*, como sugerido por Beto Sicupira. O desafio era assumir o leme da Lojas Americanas, um dos mais importantes ativos de sua carteira.

CAPÍTULO 9

Lojas Americanas

Artistas são craques em anunciar a aposentadoria e, tempos depois, voltarem aos palcos. Não tenho nenhuma vocação para o show business, mas também desfiz várias promessas de pendurar as chuteiras. Após cumprir meu mandato na Artex, aos 58 anos, decidi me retirar do dia a dia do mundo corporativo e cuidar de outras atividades particulares que não exigissem dedicação tão intensa. Não era a primeira vez. Já havia feito planos semelhantes ao sair da BP Mineração e da Mococa. Bobagem. Bastava acenarem com um projeto de *turnaround* ou reestruturação que eu me agitava e engavetava a ideia de aposentadoria.

Enfim, não resisti muito tempo ao assédio do GP Investimentos para assumir, no início de 1998, o comando da Lojas Americanas, um de seus principais investimentos. Depois dos excelentes resultados obtidos na Artex, Jorge Paulo Lemann disse para seus sócios: "Vamos mandar o Galeazzi para a Americanas".

Beto Sicupira falou comigo e, na investida, contou com apoio de Fersen Lambranho, que naquele momento ocupava a presidência da empresa. Quando o novo nome para a vaga fosse escolhido, ele se abrigaria no GP. O namoro se estendeu por diversas semanas. Só Fersen foi almoçar três vezes em minha casa na Granja Viana, nas proximidades de São Paulo. Ele queria negociar minha ida para a Americanas e, como trabalhava longe da Granja, meu motorista ia buscá-lo.

Minha resistência vinha da decisão de "dar uma parada". Mas o desafio mexeu comigo e enfrentei uma batalha interior. Para interromper o assédio, coloquei uma condição não prevista na política de recursos humanos do GP Investimentos: a concessão de um *hiring bonus* — ou na linguagem popular, de luvas, um pacote financeiro pago no momento da contratação. É um instrumento bastante utilizado na atração de talentos. Eu sabia que Lemann, Sicupira e Marcel Telles rejeitavam a prática, mas pedi um alto valor para aceitar o convite.

Para minha surpresa, eles abriram uma exceção, e fiquei sem argumentos para recusar. Também aceitaram minha permanência como sócio da Galeazzi & Associados — num primeiro momento, pediram que eu me desfizesse da participação acionária na consultoria. E mais: concordaram em contratar a própria Galeazzi & Associados para me apoiar, o que agilizou a implementação do plano de transformação da Lojas Americanas.

Em março de 1998, entrei pela primeira vez na sede da Americanas, na região central do Rio de Janeiro. Sem salas particulares, os diretores trabalhavam num espaço sem divisórias, um dos traços mais marcantes da cultura oriunda do Banco Garantia, o embrião da sociedade do trio de empreendedores. Ao chegar, perguntei quem eram os ocupantes de cada mesa. Uma delas pertencia a Fersen e ainda estava coberta de papéis, relatórios e objetos pessoais, inclusive um taco de beisebol — e não tenho a mínima ideia de sua utilidade naquele ambiente. Isso porque, explicaram, ele continuaria a marcar presença no local, como fazia Marcel Telles na Ambev, outra empresa controlada pelo GP.

Eu não consigo trabalhar com uma sombra ao meu lado. Imediatamente pedi caixas de papelão, ajeitei nelas todos os pertences de Fersen e solicitei que fossem entregues em sua casa. Afinal, assim como para os gatos, também para os executivos é preciso fazer xixi logo na chegada para demarcar terreno. Um dos gigantes do varejo brasileiro, com faturamento equivalente a 2,4 bilhões de dólares em 1997 e cerca de noventa lojas, a Americanas ostentava um dos nomes mais tradicionais do setor. Fundada em 1929 por um austríaco e quatro norte-americanos, tinha conquistado pelo menos uma importante vitória nos anos anteriores à minha chegada: a sobrevivência.

A estabilização monetária do país a partir do Plano Real, em 1994, secou a principal fonte de lucros do varejo local: os ganhos obtidos em aplicações financeiras. Os rendimentos provenientes dos investimentos davam mais dinheiro que a operação comercial — uma distorção que começou a ser corrigida com o surgimento de uma moeda estável, o real. A Americanas tinha uma equipe de operações financeiras com tamanho próximo à do GP, um fundo de investimento, portanto uma companhia financeira de fato. Sem conseguir se adaptar à nova realidade, marcas conhecidas dos consumidores desmoronaram em pouco tempo, como foi o caso da Casas Centro, G. Aronson, Mesbla, Mappin, Arapuã, entre outras.

A Americanas superou essa fase de transição, mas não se livrou do legado de ineficiência construído durante o período de hiperinflação, exposto por prejuízo de 37 milhões de dólares em 1997. Curiosamente, o resultado individual de cada área era bom, mas o geral, ruim. Como a soma de diversos números positivos resulta num número negativo, no caso um prejuízo desse tamanho?

A resposta: nos negócios, cada macaco cuidando de seu galho não garante a saúde da árvore inteira. O sucesso é mais do que a soma do bom desempenho de cada uma das partes, e sim da integração harmoniosa de todas elas. Imagine um barco em boas condições e bem equipado, mas navegando à deriva. Esse era o caso. A empresa carecia de rumo, e aos executivos faltava a visão generalista. Pior, havia um espírito de acomodação enraizado na organização. Para rompê-lo, precisei mexer com tabus internos, como a alimentação aos funcionários e os estoques nas lojas.

"Sempre fizemos assim"

A Americanas mantinha restaurantes para funcionários instalados em quase todas as lojas, cada um com estrutura própria, das compras à limpeza, da preparação das refeições à manutenção. Praticamente nada era terceirizado. Resumindo: a empresa administrava cerca de oitenta restaurantes internos, cuja operação exigia uma equipe total de oitocentas pessoas.

"Temos a maior rede de restaurantes corporativos do país", eu dizia em tom de brincadeira, mas com boa dose de preocupação.

Isso reforça o que afirmei antes: uma área com boa performance (no caso, os restaurantes) não gerava necessariamente um resultado satisfatório para a companhia como um todo (em função dos custos elevados). Ao questionar o sistema de alimentação, ouvi o antigo argumento: "Sempre fizemos assim".

Até mesmo um dos acionistas, implacável com os custos, lembrou da "tradição" ao defender a manutenção do serviço. Miguel Gutierrez (até hoje presidente da Americanas), brilhante e uma fera com números, provou por A + B que os restaurantes internos eram mais baratos do que qualquer tipo de terceirização. Apoiado pelos caprichos das estatísticas, mostrava que cada estrutura atendia "tantas pessoas e meia". Eu dizia: "O.k., traga essa meia pessoa aqui para me falar sobre os restaurantes".

Não havia como contestar os cálculos, muito bem fundamentados pelo Miguel, mas mostrei que eles não incluíam os custos intangíveis. E eram muitos. Os gerentes de loja, por exemplo, consumiam boa parte do expediente monitorando aspectos como limpeza e manutenção dos restaurantes. Enquanto isso, deixavam de lado o atendimento ao cliente, a organização da unidade, entre outras atividades. Quanto isso custava? E mais: muitas vezes, na falta de algum ingrediente para preparar a comida, os cozinheiros lançavam mão de produtos vendidos nas lojas. Ninguém conseguia controlar essas retiradas. Outra: a burocracia era imensa, com a necessidade de elaborar relatórios e preencher formulários para órgãos de fiscalização como a Vigilância Sanitária. A administração dos oitocentos funcionários exigia quase um departamento pessoal à parte.

No mercado em geral, a área de alimentação passava por um processo de terceirização. Ou se entregava a gestão dos refeitórios internos a empresas especializadas ou se fornecia vale-refeição para os colaboradores. Escolhemos a segunda opção, e executei o plano de maneira cirúrgica. Em alguns dias, todos os restaurantes internos foram fechados, oitocentos colaboradores dispensados e os funcionários passaram a receber vales de alimentação. Meses depois, ninguém reclamava da mudança, e os custos desabaram. Os funcionários gostaram, pois podiam variar o cardápio e sair um pouco do ambiente das lojas.

Vista pelo retrovisor, a mudança parece óbvia. Mas mudanças nunca são óbvias para quem trabalha há anos em determinada cultura. Um livro editado pela *Fast Company*, uma das principais revistas de negócios dos Estados Unidos, publicado no Brasil com o título *Adapte-se ou morra*, traz um trecho sobre esse assunto:

> Alterar o rumo de uma organização é dificílimo, e o problema é agravado pelo fato de que as pessoas das quais você depende para executar a mudança (seus funcionários) podem não entender por que precisam fazer as coisas de forma diferente. Como resultado, quando você mais precisa delas, elas tendem a se voltar contra você.

Em outra passagem, o livro aborda as ameaças que rondam as empresas que se recusam a se mexer:

> A expressão "as coisas mudam" não passa de um clichê empresarial básico. Mas descartá-lo sumariamente é ignorar dois fatos vitais:
> 1. Existe um motivo pelo qual os ditados se tornam clichês: eles costumam ser verdadeiros.
> 2. A maior causa de morte entre as empresas já estabelecidas é a incapacidade de se adaptar às mudanças.

Na Americanas, o principal desafio residia nas ilhas (ou feudos) que se formaram na empresa. Era urgente construir pontes entre elas, de forma a superar esse isolamento. Por minha determinação, nas reuniões de acompanhamento de resultados, cada diretor deveria fazer a apresentação de uma área diferente da sua e tecer comentários sobre o desempenho.

Eu colocava papeizinhos com os nomes dos diretores em um pote e sorteava quem falaria a respeito de cada diretoria. De tempos em tempos, cometia uma pequena trapaça e marcava os papeizinhos previamente para identificar a quem se referia. Sem ninguém saber, eu escolhia quem falaria a respeito de cada área.

Outro sintoma da pouca integração interna era o descaso com as reuniões de diretoria. Não começavam no horário marcado. Se estavam agendadas para nove da manhã, todos chegavam a partir de 9h15 ou 9h30. Os atrasos se incorporaram à rotina. Uma bagunça. Coloquei uma regra: os atrasados não entrariam na sala depois do início dos trabalhos. Além disso, quem convocasse as reuniões divulgaria a pauta, o script (como eu chamava) e o tempo de duração (até então eram intermináveis).

Havia desorganização nos procedimentos também. "Isto aqui está uma bagunça. Cada um fala na sua vez...", disse eu em uma das primeiras reuniões. E criei o método das três bolinhas: verde, amarela e vermelha. Quando alguém queria falar, eu rolava a bolinha verde (seria o seguinte a receber a palavra). Para o segundo, eu jogava a amarela. Ah, sim, a bolinha vermelha era lançada em quem não observava a regra.

Nos anos seguintes, utilizei o método em diversas empresas, inclusive no Pão de Açúcar, onde funcionou por um curto período com a participação de Abilio Diniz — um curtíssimo período de tempo, aliás, pois ele era dono do campo, da bola, do apito e até do juiz, sendo o primeiro a quebrar a regra.

Voltando à Lojas Americanas, passo a passo, desmontamos os feudos internos. Se a oposição se tornava muito ferrenha, substituíamos os diretores ou promovíamos um rodízio entre eles. Quando meu mandato completou dois anos, dos seis diretores de primeiro escalão que encontrei, apenas dois permaneciam na companhia — e em áreas diferentes —, Miguel Gutierrez e Eduardo Chalita.

Miguel se tornou presidente, e Eduardo confirmou mais uma vez a teoria da panela de pressão. Tirei a tampa e ali se revelou um talento. Com apenas 37 anos na ocasião, Chalita tocava a área de operações — ou seja, sob sua responsabilidade estavam todas as lojas da rede. Eu o desloquei para a diretoria de expansão, sem a mesma relevância ou o mesmo peso da anterior. Para piorar, avisei que não havia dinheiro para investimentos em novas lojas. A prioridade era colocar a casa em ordem. Enfim, ao mesmo tempo eu o joguei numa fogueira (pela falta de recursos) e numa geladeira (pela pouca importância da área).

Para um executivo menos dinâmico, era um convite à paralisia. Afinal, como instalar novos pontos de venda se o caixa estava vazio? Pois um ano depois, havíamos inaugurado doze novas unidades. Chalita saiu em busca de shopping centers de médio porte, localizados fora das regiões de maior poder aquisitivo. Eram empreendimentos que necessitavam da chamada loja-âncora, aquelas marcas conhecidas que atraem um público grande e geram fluxo de gente nos corredores. E a Americanas tem esses atributos. Assim sendo, os donos dos shoppings aceitavam bancar o investimento inicial da operação — coisas como reforma e adequação do local, instalação de prateleiras e guichês de caixas etc. Ao mesmo tempo, os fornecedores bancavam o chamado "enxoval da loja": antes da inauguração, abasteciam as gôndolas com todos os produtos, sem cobrar.

Como Chalita deu conta do recado, eu o chamei e lhe dei outra tarefa. Um dos mais emblemáticos edifícios do Rio de Janeiro, localizado na rua do Passeio, pertenceu durante décadas à Mesbla. Visível de vários pontos da cidade, era famoso pela torre com um relógio e o logotipo da empresa em letras garrafais fincado no telhado. Só que a Mesbla, uma das mais tradicionais concorrentes da Lojas Americanas, tinha quebrado e já não ocupava o prédio. Eu queria alugar o ponto para inaugurar ali uma de nossas lojas. Mais importante: substituir o nome Mesbla pelo da Americanas no topo do edifício, expliquei a Chalita. "Você quer colocar a bandeira em cima do caixão da Mesbla?", perguntou Chalita, se divertindo com a ideia.

Missão cumprida. Nos anos seguintes pagamos um aluguel mensal pelo espaço e mantivemos o letreiro da Americanas no horizonte do Rio de Janeiro. Não foi barato, mas valia a pena pela mensagem transmitida para consumidores, funcionários e fornecedores: "Vencemos a guerra da concorrência".

Visão distorcida

Sim, a companhia sobrevivera à guerra no mercado. Mas internamente enfrentava um inimigo poderoso: o foco equivocado na política de compras, que eram vistas como objetivo, não como meio. Uma das máximas do varejo diz que o sucesso das vendas começa nas compras. É verdade. É preciso adquirir produtos com custo competitivo na quantidade correta (para não faltar nem sobrar), além de garantir um equilíbrio entre a oferta de marcas reconhecidas pela qualidade e aquelas que atraem o consumidor pelo preço. Sem uma boa dosagem de cada uma dessas variáveis, não se resolve uma equação tão complexa.

Era o que acontecia na Americanas. Lá o custo de aquisição prevalecia sobre as demais variáveis. A ideia era comprar pelo menor preço, independentemente do produto ou do fabricante. Os compradores sufocavam o fornecedor ao máximo. O mercado sabia disso. Essa política afugentava os fornecedores mais qualificados e atraía aqueles com mercadorias encalhadas e que, por isso, se submetiam ao arrocho.

Com isso, acumulou-se um estoque monumental de tranqueiras, onerando o capital de giro. Nos depósitos, podiam ser encontrados 135 mil SKUS (iniciais de Stock Keeping Unit, expressão que indica número de itens em suas mais variadas versões, como tamanho, embalagem, sabor, entre outras variáveis). Era impossível administrar esse mundão.

De tempos em tempos, para desovar o encalhe, as lojas promoviam liquidações arrasadoras — arrasadoras para os números da companhia, pois muitos dos produtos eram vendidos com prejuízo. Dessa forma, a linha final do balanço só piorava, mas o faturamento disparava, e o sino tocava. Ah, sim, havia um sino (desses de navio) na sede da companhia. Cada vez que a meta de vendas era atingida, um funcionário caminhava até lá e dava umas badaladas. O que internamente era considerado um momento de comemoração, para mim significava o símbolo de uma visão distorcida. Depois de ouvir o sino soar duas ou três vezes, chamei o pessoal. "Olha, importante não é comprar barato, e sim comprar bem para vender bem, ou seja, com retorno que cubra os custos e garanta a margem de lucro. Então, vamos bater o sino a cada vez que cumprirmos as metas de resultados e não de faturamento." E repeti uma frase que utilizo até hoje em minhas apresentações: "A maioria dos fracassos empresariais se origina da má compreensão do que a empresa realmente é".

As badaladas do sino cessaram num primeiro momento e, depois de alguns meses, voltaram com cada vez mais frequência. Quando atacamos a gestão de estoques, puxamos uma pena e veio a galinha inteira. Não se tratava apenas de comprar de forma mais eficaz. A nova política de suprimentos, instituída nos primeiros tempos de minha gestão, determinava que a Americanas só adquirisse mercadorias com perspectiva de giro alto e demanda por parte do consumidor. O número de fornecedores passou por uma dieta rigorosa, caindo de 3300 para 1600. Os que ficaram deram condições melhores de preços e prazos de pagamento. Em contrapartida, passaram a vender volumes maiores para a Americanas.

Mesmo com esse aperto, o controle continuou deficiente. Havia um sério problema na estrutura. Cada uma das noventa unidades da Americanas tinha sua própria área de estoques, abastecida pelo centro de distribuição da empresa, que, por sua vez, era responsável por receber os produtos enviados pelos fornecedores. Um caminho longo, complexo e oneroso. Se o centro de distribuição entregasse as mercadorias para as lojas no regime *just-in-time* (isto é, na quantidade precisa), isso eliminaria os estoques nas lojas, que empatava um valor significativo de capital de giro, e uma etapa seria eliminada, tornando o processo mais fluido e barato. O nó residia na implantação desse conceito. Certamente haveria uma forte resistência dos diretores e gerentes de lojas, pois a mudança representaria perda de poder para eles.

Os funcionários de nível gerencial não percebiam que se livrariam de um sistema complexo e poderiam concentrar suas energias na operação e no atendimento aos clientes. O bom senso e os manuais de administração recomendavam uma transição planejada e paulatina, começando em apenas uma unidade, identificando eventuais falhas e corrigindo-as antes de estender o modelo para toda a rede. Só que esse método consumiria muito tempo, a pressão contrária ganharia fôlego, e o projeto poderia sucumbir. Por isso, resolvi bancar uma das decisões mais arriscadas de minha carreira. A migração aconteceria num único dia em todas as unidades simultaneamente, um *big bang* na logística da Americanas. Se não funcionasse, eu daria adeus ao emprego e ganharia uma mancha indelével em meu currículo. Os executivos consideraram a iniciativa "uma loucura". Até Jorge Paulo Lemann se assustou com a proposta — e ninguém pode acusá-lo de falta de ousadia ou de ser conservador.

"Não seria melhor implantar esse novo sistema gradualmente?", ele perguntou.

Insisti no plano, e ele como sempre me deu inteira autonomia, embora estivesse claramente preocupado com a possibilidade de um colapso no abastecimento por conta das mudanças. No Dia D, todos os depósitos existentes nas lojas tiveram suas portas fechadas, algumas literalmente bloqueadas. A partir daquele momento, os gerentes não teriam a comodidade de manter o depósito ao lado da loja abarrotado e apenas esticar o braço e apanhar esta ou aquela mercadoria, o que sacrificava seriamente o capital de giro da companhia. Os produtos seriam repostos de forma automática pelo sistema. Isso exigiria planejamento mais rigoroso e acompanhamento mais próximo das demandas dos consumidores, pois a reposição seria planejada com certa antecedência pelo sistema. Foi um desastre. Nos primeiros quinze dias, tudo deu errado.

Os gerentes de loja se embananaram com o novo modelo. Ora o sistema antecipava demais os pedidos e os produtos ficavam empilhados nos corredores; ora demorava na reposição, e as prateleiras permaneciam vazias — e esse era o caso mais comum. A empresa começou a enfrentar um sério problema de ruptura, isto é, a falta de produtos nos pontos de venda, o que pode ser mortal no varejo.

Gap híbrido

Nesse período de transição, enfrentei um dilema que aflige os executivos especializados: o "gap híbrido". Não se dê ao trabalho de procurar a explicação em livros sobre administração. Trata-se de uma expressão criada por mim, que ocupa um lugar importante nas apresentações que faço em empresas, associações, escolas etc. É o seguinte: logo depois de ser implementada, qualquer mudança gera um período de turbulência, às vezes de caos. O antigo sistema não funciona mais, e o novo ainda não se encontra inteiramente ajustado. Esse é o gap. E por que híbrido? Porque os dois mundos convivem e não se entendem. É algo como um purgatório. Em minhas apresentações, utilizo algumas imagens para ilustrar o conceito. Uma delas mostra a sequência de cinco copos, em que o primeiro está ocupado por pedras de gelo e o último, cheio d'água. Entre eles, três copos com gelo e água. Na legenda, a seguinte frase: "Ainda não somos o que queremos ser e não deixamos de ser o que éramos".

Autor de livros como *Capitalismo, socialismo e democracia*, o economista Joseph Schumpeter defendeu que a inovação, tanto na produção como na administração, é o grande motor do capitalismo e, a partir desse raciocínio, cunhou a expressão "destruição criativa". As novas tecnologias, segundo ele, avançam sem parar, e nessa trajetória destroem modelos antigos, embora durante certo tempo eles coexistam de forma nem sempre pacífica. O mesmo vale na gestão de empresas. E era isso que eu enfrentava na Americanas ao centralizar o sistema de estoques, substituindo um modelo arraigado na cultura da companhia.

Cerca de dez anos depois, os consultores Mark Gottfredson e Steve Schaubert, da Bain & Company, escreveram sobre o fenômeno no livro *A administração de alto impacto*. Eles lembram que "mudar é difícil. Os subordinados apresentam resistência. As novas maneiras de fazer as coisas trazem riscos". Esse, prosseguem os dois especialistas, "é um ponto de inflexão encontrado em toda grande iniciativa de mudança, e é exatamente aí que a maioria das empresas fracassa. Elas despencam no 'Vale da Morte'".

O maior inimigo nessa migração é a tentação de voltar atrás. Mais de um executivo da Americanas insinuou a necessidade de recuar, dizendo que "talvez a organização anterior não fosse tão ruim...". Eu também me sentia na corda bamba atravessando um precipício. Mas sabia que o caminho de volta apresentava tanto perigo como chegar ao outro lado. Além disso, tratava-se de uma decisão amadurecida com base em estudos e reflexões.

O remédio era corrigir rapidamente os problemas (e eles apareciam um atrás do outro) e sinalizar que o retorno ao sistema anterior não era uma opção válida. É como o deus Shiva, destruidor e regenerador. Depois do período mais crítico, os quinze primeiros dias, os processos de entrega de mercadorias nas lojas começaram a entrar em sintonia. Os índices de ruptura cederam. Ao mesmo tempo, implantamos um sistema automático de entrega *just-in-time* nas lojas. Quando o volume de um produto atingisse um nível mínimo nas gôndolas, um pedido de reposição era disparado para o centro de distribuição.

Muita gente pergunta como vencer as resistências em um projeto de mudança dentro da organização. Bem, a cultura da empresa deve ser preservada até o momento em que passa a prejudicar o negócio. Quando isso acontece, eu digo (meio brincando, meio sério) que nenhuma cultura, por mais enraizada que seja, resiste a dois ou três tapas bem aplicados. Sim, o trabalho de *turnaround* ou transformação exige uma dose de autocracia — nesse caso, insistir em decisões incômodas e dolorosas. São situações pontuais, mas decisivas para mostrar que a acomodação não vai prevalecer sobre a busca pela eficiência.

Gottfredson e Schaubert recomendam que o líder "não se abstenha de tomar providências que reforcem sua mensagem". Concordo, mas isso vale num primeiro momento. Não é possível administrar um processo de mudança na base do grito o tempo inteiro. O autoritarismo não substitui a liderança. Num segundo momento, é necessário apostar na conscientização, ganhar as mentes e os corações do time. À medida que os resultados positivos aparecem, a oposição baixa o tom, já que não adianta brigar contra fatos. As equipes passam a entender a necessidade das mudanças. Nada é tão convincente como a realidade.

Na Americanas, o retorno foi cristalino como água. Após dezoito meses, a necessidade de capital de giro diminuiu, e o processo de reposição de mercadorias ganhou agilidade. O estoque caiu dos 135 mil SKUS para 60 mil. Ao mesmo tempo que desocupava 85 mil metros quadrados com o fechamento dos depósitos nas lojas, a empresa construía três novos centros de distribuição. As áreas liberadas serviram para ampliação de lojas, dando mais conforto ao cliente, ou foram devolvidas aos locadores e shoppings, reduzindo as despesas.

Um ponto importante a ressaltar é: não se deve deixar espaço vazio numa empresa. Logo algum diretor ou gerente tratará de tomar conta do local. É como o enredo de um filme clássico de ficção científica chamado *A bolha assassina*, que teve várias versões, a primeira delas estrelada por Steve McQueen. Na história, uma massa gosmenta invade prédios por qualquer fresta que encontre e domina o ambiente. Nas empresas, os gestores sempre têm motivos para ampliar suas equipes. E uma área desocupada se transforma num convite ao inchaço na estrutura. Quando esvaziamos um andar inteiro na sede da Americanas, localizada em um edifício no centro do Rio de Janeiro, ordenei que a porta fosse trancada, permitindo acesso apenas ao pessoal de limpeza e de manutenção. Em seu livro, Gottfredson e Schaubert explicam como isso aparece no cotidiano das companhias:

> É comum as organizações acumularem gordura com o passar do tempo. Elas iniciam projetos, adicionam pessoas e recursos, e quando o projeto acaba, as pessoas e os recursos permanecem. A maioria das pessoas gera mais custos, mais reuniões e tomada de decisão mais morosa. Elas aparentam estar sempre ocupadas, talvez porque os seres humanos sempre conseguem encontrar um jeito de se manterem ocupados.

Essa dinâmica se espalha pelas organizações na ponta dos pés, de maneira silenciosa, mas paradoxalmente foi um barulhão que chamou minha atenção para ela.

Como surge a burocracia

Todas as manhãs, logo depois que chegava ao escritório, eu ouvia um som metálico de rodas passando pelo corredor. Era um desses carrinhos semelhantes a uma gaiola, muito utilizados em supermercados para carregar produtos de um lado para outro. Aquele na sede da Americanas carregava calhamaços e calhamaços de papel até a boca.

Eram relatórios emitidos diariamente pela área de tecnologia da informação a pedido dos mais variados setores da companhia, segundo me explicou o rapaz responsável por empurrar o carrinho e entregar o material. A experiência logo me alertou que boa parte daquela papelada não tinha utilidade nenhuma. Chamei, então, o executivo de TI e determinei que encerrasse a produção dos relatórios sem avisar os destinatários.

Nos dias seguintes, minha suspeita se confirmou. Ninguém se queixou. Na verdade, apenas um diretor questionou a interrupção. Descobri que havia relatórios destinados para dirigentes que já não trabalhavam na companhia. Outros eram gerados para atender projetos específicos concluídos havia meses, ou seja, não tinham mais razão de ser.

Por sua natureza técnica, a área de TI é uma fonte inesgotável dessas distorções. Na virada do ano de 1999 para 2000, ela protagonizou o chamado Bug do Milênio, que na verdade deveria ser batizado de Engodo do Milênio. Segundo os especialistas, os sistemas de informática e os computadores eram programados apenas com os dois últimos números do ano (99, por exemplo), subentendendo que todos precediam o "19". Na virada do século, portanto, softwares e equipamentos entenderiam o final 00 como indicativo do ano 1900 e não 2000. Desse modo, haveria um colapso geral. Aviões não voariam, hospitais não funcionariam, as empresas ficariam paralisadas — enfim, um apocalipse digital, que provocou pânico no meio empresarial. Analistas de investimento nos questionavam sobre os impactos nos resultados da Lojas Americanas.

As grandes firmas de consultoria e TI passaram a trabalhar como nunca para sanar os eventuais problemas, e cobravam fortunas pelos serviços. Na noite de 31 de dezembro de 1999, as empresas designaram equipes para enfrentar o caos que se avizinhava. Ceias de réveillon foram organizadas em escritórios e fábricas para esses funcionários e, em alguns casos, seus familiares. Pois, quando bateu meia-noite, o que aconteceu? Nada, absolutamente nada. Nenhuma falha significativa foi registrada. No fim, toda a comoção só gerou, além dos lucros milionários para as empresas de informática e as grandes consultorias, muitas reuniões, relatórios, ansiedade e custos, sem agregar nenhum valor.

Esse é o berço em que nasce e se alimenta a burocracia. Por conta dela, o organograma de uma empresa acumula gordura até padecer dos males da obesidade. Gottfredson e Schaubert afirmam que, conscientes desse perigo, os líderes devem ser capazes de cortar de 10% a 30% dos custos gerais e administrativos de suas empresas. Nos primeiros dezoito meses à frente da Americanas, enxuguei o número de funcionários de 18 mil para 12 mil. No total, o corte de despesas somou 48 milhões de reais.

A redução no quadro de pessoal não pode ser um fim em si mesmo; deve ser consequência do redesenho do negócio. A Americanas enfrentava uma crise de identidade. Como reza o conceito de lojas de departamento, em suas prateleiras encontrava-se um mix variado de produtos, de roupas a eletrônicos, de doces a itens de limpeza — por exemplo, na época a Americanas era o maior vendedor do bombom Sonho de Valsa no país, assim como de CDs. E não parava por aí. A Americanas ainda mantinha 23 unidades de supermercados, instaladas ao lado das lojas e com o mesmo nome.

Na visão do consumidor, uma confusão danada. Internamente, isso também provocava dificuldades, sobretudo na área de compras, pois havia produtos específicos, como carnes e outros alimentos perecíveis, que exigiam transporte próprio. Além disso, os volumes de mercadorias refrigeradas eram relativamente pequenos e a logística, complexa, já que a rede de supermercados se restringia a algumas regiões, sobretudo no estado de São Paulo.

Em resumo, o negócio carecia de foco, e a diversificação excessiva dispersava a energia dos executivos do grupo. É como um pato. Versátil, ele anda, voa e nada — e faz tudo de forma desengonçada. Qual era a vocação da Lojas Americanas? O cliente aceitava bem as instalações franciscanas dos pontos de venda, sem nenhum traço de luxo, desde que recebesse em contrapartida preços amigáveis e atendimento rápido. Frequentava o local para adquirir pequenos itens, motivado por certa urgência ou pela oportunidade de uma promoção. Por isso, permanecia pouco tempo na loja. Enfim, tratava-se de uma loja de conveniência mais sortida e mais ampla do que as concorrentes.

Daí surgiu o Projeto Focus. O objetivo era reorganizar as lojas internamente e adequar o mix de produtos para atender às necessidades de cada mercado. Unidades localizadas em áreas de escritórios foram divididas em quatro categorias de produtos: beleza e saúde, alimentos de conveniência, roupas e produtos como CDs, brinquedos e utilidades domésticas. Outras, localizadas em regiões mais residenciais, incorporaram serviços de conveniência, como padarias — o que aliás aumentava o fluxo de gente, já que o cheiro de pão quente atraía clientes.

A rede de supermercados não cabia no formato que planejamos. A venda do negócio, conduzida pelo GP, tornaria a estrutura mais simples e reforçaria o caixa do grupo. Havia um obstáculo. Os supermercados estavam integrados à estrutura da Americanas, tanto na administração como juridicamente. Era uma coisa só, um corpo único. Como vender só um pedaço? Pois, em apenas quatro meses, criamos uma empresa a partir do zero, com CPNJ próprio, e transferimos para ela o quadro de pessoal e todos os ativos dos supermercados, como contratos de aluguel e fornecimento, sistemas de informática e de logística, entre outras atividades.

Ao mesmo tempo, a empresa negociava a venda com alguns interessados. Em outubro de 1998, assinamos o contrato de transferência para a francesa Comptoirs Modernes, que pouco depois foi incorporada pelo conterrâneo Carrefour. Graças à transação, mais de 300 milhões de dólares entraram na conta da Americanas, depositados no exterior.

Executivos do grupo, inclusive da área financeira, defendiam que o dinheiro fosse trazido imediatamente para o Brasil. Aqui, com as taxas de juros nas alturas, o rendimento seria muito maior. Num seminário interno para executivos das empresas controladas pelo GP e com a presença do ex-ministro da Fazenda Maílson da Nóbrega, todos os presentes concordaram que esse seria o caminho mais recomendável. Menos eu. Em minha apresentação, argumentei que era inevitável uma desvalorização do real diante do dólar. A paridade entre as duas moedas, que se mantinha desde o Plano Real, quatro anos antes, não se sustentaria. Ninguém se convenceu. Mesmo Maílson tinha outra visão. Mas dias depois, Lemann enviou uma mensagem para mim, solicitando a apresentação que fiz em defesa da manutenção do dinheiro no exterior.

Mesmo assim, Lemann e os demais acionistas não interferiram, deixando a decisão por minha conta. Cedi um pouco à pressão e autorizei a transferência para o Brasil de 50 milhões de dólares. O restante continuaria lá fora. Sobre essa discussão, é preciso enfatizar a data: novembro de 1998. Nas semanas seguintes, o real começou a se desvalorizar e quase dobrou de valor em relação ao dólar no final de fevereiro de 1999. Na ponta do lápis: os 250 milhões de dólares restantes, que equivaliam a cerca de 300 milhões de reais em novembro de 1998, passaram a valer quase 510 milhões de reais meses depois. Uma diferença de 210 milhões de reais.

O lucro milionário obtido em um prazo de apenas três meses resultou da liberdade de ação que Lemann e seus sócios dão aos profissionais que comandam suas empresas — um modelo de gestão em que um executivo pode ir do céu ao inferno numa fração de segundo.

Seja *smart*

Jorge Paulo Lemann, Carlos Alberto Sicupira e Marcel Telles compartilham uma filosofia de trabalho da qual deriva o modelo de gestão que se tornou lendário em todo o universo corporativo: a meritocracia. Para eles, a busca incessante por resultados é o que move uma organização. Aqueles que abraçam essa causa têm ascensão meteórica nas companhias controladas por eles e são recompensados com bônus milionários. Quem, por outro lado, não atinge as metas previstas não tem futuro naquele mundo.

Os três são extremamente pragmáticos. Não há meio-termo com eles. Se confiam no executivo, oferecem autonomia total. Não atrapalham, não interferem e delegam efetivamente a gestão — o que não é o caso da maioria dos "donos" e de alguns conselheiros que intervêm no dia a dia operacional das empresas. Mesmo que discordem de alguma iniciativa, eles apoiam. Se der errado, porém, o responsável pela decisão responderá por isso. E a resposta pode ser a demissão. Quando os sócios intervêm, significa que os dias estão contados para o profissional. É hora de fazer as malas. Ninguém pode alegar ignorância sobre essa regra e muito menos às metas a serem atingidas. São sempre nítidas, simples, claras e, sobretudo, ambiciosas.

Eis um ponto crucial em qualquer organização, independentemente do tamanho ou do setor de atuação. Funcionário nenhum pode ter dúvidas sobre as metas estabelecidas para sua atividade. Nesse ponto, minha identificação com o estilo de Lemann, Beto Sicupira e Marcel Telles é total. Existe até um acrônimo com a palavra *SMART* (inteligente, em inglês), que resume os atributos de uma boa meta: Specific, Measurable, Attainable, Relevant e Trackable — específicas, mensuráveis, factíveis, relevantes e monitoráveis. Metas *SMART* garantem que todos saibam qual rumo tomar e como atingir o destino traçado para o negócio. São a tradução da estratégia de uma companhia. Uma frase atribuída ao filósofo Sêneca afirma que "quando se navega sem destino, nenhum vento é favorável".

Ao mesmo tempo que defende um relacionamento essencialmente profissional com seus comandados, o trio espera sinais de envolvimento profundo de suas equipes com as empresas em que trabalham, o que gerou uma cultura quase messiânica. Histórias a esse respeito correm nos corredores do grupo. Como a de um diretor que, irritado ao ver um carro da área comercial sem o logotipo da Ambev (como determinava a regra), correu ao estacionamento e chutou o veículo. Em outra oportunidade, um executivo perdeu o emprego porque foi visto durante o almoço com uma garrafa de uísque na mesa, o que seria incompatível com a imagem de dedicação absoluta ao trabalho e prejudicaria sua disposição em retomar o expediente à tarde.

Os três são sujeitos práticos no dia a dia. Mais de uma vez, Beto Sicupira e eu visitávamos lojas juntos e depois sentávamos num banco do shopping ou na praça de alimentação para despachar os assuntos pendentes. As decisões eram imediatas; não há espaço para tentativas de ganhar tempo. A informalidade se estende a outros campos. Desde os primórdios de seus negócios, eles raramente usam terno ou gravata. Preferem vestir calças de sarja bege, preferencialmente da marca Gap, ou jeans e camisas de mangas arregaçadas ou camisetas polo — um hábito incorporado à cultura do grupo e que se espalhou por inúmeras empresas brasileiras. Eu mesmo incorporei o estilo visual e o mantenho até hoje. É muito confortável.

Implacáveis na cobrança pelos resultados, em geral se mostram afáveis no trato com as pessoas no dia a dia. Lemann fala pouco e ouve muito. Dos três, Sicupira é o mais agressivo, enquanto Telles apresenta um perfil mais contemporizador e revela uma fina ironia. Certa vez, durante uma reunião do conselho de administração na Americanas, comentei com os participantes que só podia servir guaraná da Brahma, controlada pelo 3G, mas que todos preferiam o guaraná Antarctica. Tratava-se de uma provocação bem-humorada de minha parte. Afinal, a liderança nacional nas vendas do refrigerante pertencia à arquirrival da Brahma. "No dia que a gente comprar a Antárctica, você pode servir o guaraná da Antarctica", disse Telles, devolvendo a provocação.

Ri da brincadeira. Na ocasião, a rivalidade entre as duas companhias se assemelhava à de Corinthians e Palmeiras, Flamengo e Fluminense, Grêmio e Internacional, Atlético Mineiro e Cruzeiro ou coisa parecida. Uma união das duas fabricantes de bebidas só existia no campo da fantasia. Pois, um mês depois, a Brahma incorporou a Antarctica. Telles me ligou logo após o anúncio: "Eu te dei a dica...".

Com Lemann, reforcei a convicção de que o silêncio é sagrado. À semelhança dos japoneses nos tempos da Inbrac, ele às vezes fechava os olhos durante uma reunião como se caísse no sono. De repente, "despertava" e dizia algo muito pertinente, que ganhava ainda mais peso por vir de um cara fechado e contido. Todos percebiam que não lhe escapara uma só palavra da conversa. Acho que se trata de um truque para forçar os outros participantes a se manifestarem e não esperar uma decisão dos acionistas.

O silêncio, aliás, dá lucro. Certa vez, Lemann me contou mais ou menos a seguinte história. Os três tinham um imóvel em Nova York e resolveram vendê-lo. Antes de se reunir com um candidato à compra, estabeleceram um preço mínimo. Ao chegar ao encontro, não entraram diretamente no assunto até que o eventual comprador se antecipou e disse: "Não quero muita conversa. Eu já tenho um valor a propor. E não adianta pechinchar".

O valor correspondia ao dobro do preço imaginado pelo trio. Para não passar recibo da surpresa, os três pediram para sair da sala por alguns minutos. Ao retornar, algum tempo depois, não regatearam o preço, mas pediram prazo menor de pagamento, como se não estivessem muito satisfeitos com a proposta. Mas não estenderam a conversa e fecharam negócio felizes da vida.

Curiosamente, uma das raras ocasiões em que quebrei o voto de silêncio envolveu a AB InBev, a cervejaria líder mundial controlada por Jorge Paulo Lemann e seus sócios. Anos depois de eu deixar a Lojas Americanas, Carlos Brito e Felipe Dutra, presidente e diretor financeiro da AB InBev respectivamente, marcaram um encontro comigo a pedido de Lemann. Imaginei que se tratava de uma proposta de consultoria para a Galeazzi & Associados ou até de emprego. Quando os dois chegaram, me precipitei: "Há pouco tempo concluímos um projeto de consultoria na Schincariol e tenho que cumprir um período de quarentena".

Logo após meu comentário, ambos terminaram o café, agradeceram e se retiraram sem mais nada dizer. Aí me dei conta de minha precipitação. Até hoje não sei se de fato haveria um convite. Para qual cargo? Seria no Brasil ou no exterior? A AB InBev era uma empresa na qual eu gostaria de trabalhar. Hoje, penso que, se a proposta fosse interessante, eu pagaria a multa prevista no contrato com a Schincariol e aceitaria o novo desafio. Nunca saberei, porque não respeitei meu princípio de silêncio. Carlos Brito e Felipe Dutra, porém, demonstraram aparentemente certa satisfação diante da recusa para um convite que, na verdade, não chegou a ser feito.

O sucesso obtido pelo pessoal do 3G é inegável. Basta ver o portfólio de negócios e marcas debaixo do guarda-chuva do fundo: AB InBev (maior cervejaria do mundo), Burger King (um dos líderes do fast-food), Kraft Heinz (um gigante dos alimentos), Lojas Americanas, entre outros. Warren Buffet, que não joga dinheiro fora, é sócio dos três brasileiros.

A aplicação desse modelo é implacável — e aí se concentra minha única crítica. Fora os resultados, nada interessa. É uma frieza excessiva. Em razão disso, cria-se um clima de competição interna sanguinária, como se o sujeito sentado a seu lado fosse um adversário a ser batido. Trabalhei com o GP em várias oportunidades e acredito na meritocracia, porém o conceito poderia ser mais humanizado sem perder a objetividade. Soa estranho falar em meritocracia humanizada? A diferença está na forma de cobrar e tratar as pessoas, levando em conta o momento de cada uma e as circunstâncias da empresa e do mercado, entre outras variáveis. Isso não significa que a busca pela eficiência seja colocada em segundo plano.

A bolha que estourou

Era uma febre. No final da década de 1990, a evolução da internet parecia prestes a colocar o varejo global de cabeça para baixo, de acordo com diversos especialistas. Segundo essa visão, em poucos anos as lojas físicas desapareceriam e dariam lugar a sites em que o consumidor compraria qualquer bem — de um carro a um pote de manteiga — com apenas um clique. Como geralmente acontece em momentos de ruptura, havia uma base de verdade sobre o qual se construiu um prédio de fantasia. Hoje, passados quase vinte anos, as lojas físicas, conhecidas como *bricks* no mundo digital, continuam existindo firmes e fortes, embora o comércio eletrônico ganhe espaço de forma consistente, como demonstra a incrível trajetória da Amazon.

A Americanas embarcou nesse trem que passava em alta velocidade ao lançar, em novembro de 1999, o portal Americanas.com. A ideia era que a operação ficasse totalmente separada da atividade tradicional, pois havia outros sócios envolvidos — um modelo chamado de *arm's length*, quando uma empresa não interferiria na outra. O *arm's length* não prosperou diante do meu protesto: "Vocês lançam um negócio com a marca Americanas e usam a estrutura da empresa sem nossa participação?".

Minha posição prevaleceu e, por isso, já na largada criou-se certa resistência por parte do pessoal da Americanas.com. Os conflitos não evoluíram naquele momento, porque a euforia em torno da internet tomou conta do mercado e mascarou qualquer problema. Muito dinheiro foi despejado em negócios sem metas exequíveis e de duração efêmera, gerando o que se chamou de bolha da internet. Com o caixa recheado, as empresas afrouxavam os controles financeiros e a gestão dos custos. E não estou me referindo à Americanas.

Não entrei nessa onda. Quem vinha da economia real, aquela em que existem lojas, fábricas e depósitos, não aceitava passivamente que o mundo virtual se consolidaria sem planejamento, construção de marca, gestão financeira rígida, entre outros ingredientes básicos da administração de empresas. A grande maioria dos empreendimentos operava no vermelho, com receitas baixas e despesas altas. A Americanas.com não fugiu à regra. O investimento inicial da Americanas somou 7 milhões de reais. Logo depois a empresa captou outros 40 milhões de dólares com investidores estrangeiros. Desse total, torrou 25 milhões de dólares só nos primeiros seis meses de existência, montando infraestrutura tecnológica, investindo fortunas em publicidade e oferecendo descontos generosíssimos nos produtos comercializados. Tudo para ganhar audiência.

E aí a bolha estourou. No início de 2001, o índice Nasdaq, a bolsa de negócios digitais dos Estados Unidos, desabou, e os investidores fecharam as torneiras para as chamadas empresas pontocom. A partir daí nenhum dos sócios da Americanas.com aceitou colocar um tostão além dos 15 milhões de dólares que haviam sobrado da captação de 40 milhões de dólares. Não é simples virar a chave. De uma hora para outra, como o restante do universo digital, a Americanas.com caiu na dura realidade do setor de varejo, em que as margens não superam 5%. Diante desse cenário, pedi um orçamento condizente com a nova conjuntura para os executivos. Recebi um caderno com planilhas e números detalhados, mas pouco realista, como se a situação não tivesse mudado e ainda houvesse recursos à vontade. Irritado, pedi os documentos que mostrassem os fundamentos do orçamento — as premissas de mercado, as fontes de receita, o corte das despesas, entre outras informações. Enfim, qual a base para a elaboração do orçamento?

Em resposta, os executivos apresentaram uma única folha de papel que nada explicava. Ou melhor, explicava muito, pois ficou claro que o trabalho fora feito da forma tosca: apanharam os resultados do ano anterior e atualizaram os números a partir de um índice de inflação, projeção da cotação do dólar projetado, entre outros indicadores. Não aceitei aquele "nível de amadorismo", como disse para eles, e exigi uma nova versão para a reunião com o conselho de administração.

Era uma demonstração de amadorismo e incompetência. Tomei o cuidado de avisar o Beto Sicupira e alertei que, se insistissem em apresentar aquele orçamento, eu me retiraria da reunião do conselho. Pois foi o que aconteceu. Quando percebi que a proposta de orçamento não foi alterada, me levantei para sair. Sicupira segurou meu braço, pediu que eu permanecesse na sala e adiou a apresentação. Não houve nenhum atrito no momento, mas senti que ele não gostou de minha reação. Foi o primeiro estranhamento entre nós.

Naquele episódio, a corda arrebentou para o lado dos executivos e culminou com mudança na presidência da Americanas.com. Não perdi tempo e sugeri Eduardo Chalita para a posição. A situação era assustadora. Um desafio e tanto para Chalita, inclusive na vida pessoal. Com um filho de pouco mais de um ano, ele mudou-se do Rio de Janeiro para São Paulo, onde ficava a sede do portal. E mais: a troca de presidência aconteceu em dezembro, auge das vendas no varejo, e, ao mesmo tempo, ele recebeu a incumbência de redesenhar o orçamento com bases realistas em apenas um mês. Em janeiro de 2001, apresentou os novos planos. O conselho de administração aprovou, com exceção de Ana Vigon, uma espanhola representante do fundo de investimentos americano AIG. "Vocês querem nos enganar de novo", disse ela, referindo-se ao planejamento inicial que não se confirmou, apesar de consumir 25 milhões de dólares.

Não era bem assim. Na Americanas.com, a exemplo de parte (a maioria, aliás) das startups, os investidores embarcaram na "exuberância irracional", como definiu Alan Greenspan, o ex-presidente do FED, o banco central americano. São momentos em que setores inteiros da economia se deixam levar por uma euforia cuja única base é a promessa de ganhos fáceis. Nessas ocasiões, mesmo profissionais experientes não enxergam os riscos inerentes a qualquer negócio em qualquer época e em qualquer região do mundo. Pequenos investidores não passam imunes à avalanche de otimismo e pensam: "Não posso ficar de fora disso; não sou bobo e não vou perder essa oportunidade de ganhar um bom dinheiro num curto espaço de tempo".

Esse sentimento infla os preços dos ativos artificialmente. Em algum ponto, a ficha cai (ou a bolha explode), e os mercados desabam como castelos de carta. E sempre há os espertos que se aproveitam da situação. Em 2008 o fenômeno se repetiu em proporções muito maiores do que a bolha da internet no início dos anos 2000 e gerou uma recessão global. Para entender o clima que se instalou no mundo dos negócios em 2008, vale a pena assistir aos filmes *A grande aposta*, com Brad Pitt e Ryan Gosling, e *O mago das mentiras*, estrelado por Robert de Niro e Michelle Pfeiffer.

O canto da sereia é muito forte no mundo dos negócios. A ânsia pelos bônus anuais e a ambição levam muitos executivos a tomar decisões que trazem lucros rápidos, mas não sustentáveis. Com certa ironia e muita sabedoria, meu padrasto repetia para que eu tomasse cuidado com isso. "Só perdi dinheiro com negócios bons e fáceis", dizia ele. "Ou o negócio não é bom e eu não faço ou tomo tantas precauções que ele se torna bom, o que dá um trabalho danado. Fácil, nunca é."

Com os pés na mesa

No início dos anos 2000, pouca gente tomou tais precauções em relação à internet. Por isso, quando a bolha estourou, as empresas nascidas dentro dela quebraram ou passaram por um enxugamento rigoroso para sobreviver. O plano de recuperação desenhado na Americanas.com previa uma redução de 60% nos custos, com a receita clássica: corte no quadro de pessoal e uma tesourada de 70% nos investimentos. A dieta orçamentária também atingiu Chalita. Nesse curto período, ele perdeu seis quilos, resultado de tensão, pouco sono e má alimentação.

Segundo o planejamento, para impulsionar as vendas, a companhia precisava aumentar o tíquete médio, ou seja, faturar mais em cada compra realizada. Isso exigiria uma mudança no modelo de negócios. Até então, a Americanas.com vendia lingerie, brinquedo, xampu e outros itens de baixo valor, de acordo com o conceito de loja de conveniência. Nossa marca remetia a esses produtos.

Já a internet vinha se caracterizando como terreno de comercialização dos chamados bens duráveis, como eletrônicos e eletrodomésticos. A Americanas.com se moveria nessa direção, mas como se diferenciar dos concorrentes? Precisávamos oferecer algum benefício exclusivo, um atributo sem paralelo para o consumidor. O mercado vendia em até três vezes, com carnê e juros. Pois na Americanas.com seria possível financiar a compra em até oito parcelas sem juros.

Não permaneci tempo suficiente no grupo para ver de perto os resultados. Em janeiro de 2001, com a Lojas Americanas revigorada, deixei a presidência. Permaneci com um assento no conselho da Americanas.com. Não demorou muito e Beto Sicupira disse que precisava "fazer algumas mudanças" e pediu minha vaga no conselho. O que ele não esperava era que, em menos de um mês, eu voltaria, convidado pelo fundo de investimento AIG para representá-lo no colegiado — no lugar da espanhola Ana Vigon. Aceitei prontamente, e tempos depois enfrentei um segundo desencontro com Beto Sicupira numa das passagens mais importantes na história do comércio eletrônico do país.

Ao longo dos anos 2000, quando a crise se instalou no setor, empresas começaram a se unir para ganhar musculatura e reduzir custos. Uma fusão óbvia envolvia a Americanas.com e o Submarino. Por que óbvia? Porque ambas tinham entre seus acionistas o GP, o que, em tese, ajudaria a pavimentar o caminho para a união das duas estruturas. Além disso, o negócio fazia todo o sentido. O faturamento combinado atingiria 2,5 bilhões de reais, colocando a nova companhia na liderança do comércio eletrônico brasileiro. A economia gerada pela união somaria 800 milhões de dólares, com a eliminação de funções e atividades duplicadas.

O J. P. Morgan, um dos mais tradicionais bancos americanos, foi contratado para preparar o estudo de viabilidade da união. A partir daí, desenharia a operação financeira e sugeriria o formato acionário da empresa resultante da fusão. Era uma etapa muito importante para o sucesso da negociação, pois ali se definiria quanto cada sócio deveria injetar na nova companhia ou receber no encontro das contas.

Chegou o dia da pré-apresentação para mim, antes da reunião para o conselho de administração. À medida que a apresentação do Morgan evoluía, meu mal-estar aumentava. Os argumentos e a formatação atendiam, sobretudo, aos interesses do GP. Só que eu representava a AIG, parte do bloco dos acionistas minoritários. Em certo momento, interrompi e perguntei quais os documentos que amparavam o modelo apresentado. Observando a reação dos presentes, desconfiei que tinham, na verdade, utilizado os documentos e as planilhas da própria administração da Americanas. Os grandes beneficiados seriam os acionistas do Submarino em detrimento da Americanas.com e dos minoritários, como a AIG. "Para mim, a reunião acabou. Ou vocês elaboram um modelo mais equilibrado independentemente das expectativas dos controladores, ou meu voto será contrário à fusão."

E assim foi, reunião após reunião. Em 2006, a união entre as duas companhias foi sacramentada com a criação da B2W. Logo depois a AIG vendeu sua fatia no capital. O que permaneceu foi um certo distanciamento de Beto Sicupira. Algum tempo depois, Lemann me convidou para um encontro no escritório deles em São Paulo. Ao chegar lá, vi Sicupira sentado com os pés sobre a mesa, bem ao estilo informal do grupo. Avisei a secretária que gostaria de cumprimentá-lo tão logo a reunião com Lemann terminasse.

Na saída, ela me disse que o Sicupira não poderia me atender, pois "estava muito ocupado". E ele continuava ali, sentado com os pés sobre a mesa. Uma pena... Mais alguns anos se passaram e cruzei com ele na sala de espera de um médico com o qual me consultaria. Eu estava acompanhado de Renata, minha esposa. Ao me ver, se levantou e nos cumprimentou de maneira simpática.

CAPÍTULO 10

Grupo Estado

O executivo estava com o rosto vermelho, muito irritado, e olhando diretamente para mim disse: "Nunca fui chamado de incompetente".

Eu já enfrentara momentos de fúria como aquele e me mantive tranquilo: "Bem... sempre há uma primeira vez para tudo".

A turma do deixa-disso entrou em cena, interrompeu a discussão e pôs um ponto-final na reunião antes de o clima azedar de vez. Meu interlocutor nada tinha de incompetente. Pelo contrário. Admito que posso ter passado essa impressão nas críticas que fiz à condução dos negócios da empresa, poderosa e muito tradicional: o Grupo Estado, que editava o jornal *O Estado de S. Paulo*. Lamentei muito o fato, pois não era minha intenção fazer uma acusação de incompetência.

Tratava-se de um dos principais grupos de comunicação do país, tanto pelo porte econômico como pelo peso político, com ramificações que iam além do tradicional jornal, o segundo em circulação no país na época. O Grupo Estado controlava mais um diário, o *Jornal da Tarde*, uma estação de rádio, a Eldorado, uma agência de notícias, a Agência Estado, e a OESP Mídia, responsável pela impressão e distribuição de listas telefônicas e das famosas Páginas Amarelas, um catálogo de empresas e serviços.

As novas gerações sequer devem lembrar delas. Eram uns cartapácios de mais de quinhentas páginas, recheados de anúncios publicitários, com a relação dos nomes, endereços e, claro, os números de telefone dos anunciantes em letras miúdas. Foi um negócio altamente rentável durante décadas, mas que sentia os efeitos da ascensão dos celulares e da internet até ser extinto, anos depois.

Nos primeiros dias de janeiro de 2003, quando a Galeazzi & Associados firmou um contrato para reestruturar as operações do grupo, os problemas não se limitavam ao declínio já previsto das listas telefônicas. O Grupo Estado carregava uma dívida impagável àquela altura. Não havia dúvidas sobre a origem do endividamento. Como outras companhias do setor de comunicação, o Grupo Estado ouviu o canto da sereia do universo digital, que despontava na época e acenava com a urgência de "agregar novas tecnologias" aos modelos tradicionais de negócios. Nesse caso específico, tratava-se da telefonia móvel. O raciocínio era o seguinte: num futuro próximo, as pessoas deixariam de ler notícias no papel e passariam a se informar por intermédio de seus celulares.

A previsão não estava errada, como provam os hábitos dos leitores de hoje. Cada empresa adotou um caminho para se integrar a esse novo mundo. E o Grupo Estado tomou várias decisões equivocadas nessa trajetória. A principal foi adquirir uma participação minoritária em uma operadora de telefonia móvel, a BCP (atual Claro), uma atividade desconhecida para o grupo, assim como para o Banco Safra, que também detinha uma fatia no capital da empresa.

O Grupo Estado e o Safra tinham como sócia a BellSouth, gigante norte-americano de telecomunicações que já enfrentava dificuldades financeiras e, anos depois, viria a quebrar. A operação da BCP exigia muito dinheiro. Só a compra da licença oficial para atuar em telefonia consumiu 1,8 bilhão de dólares. Embora tivesse uma parte pequena do capital, o Grupo Estado se endividou com a emissão de *bonds* (papéis lançados no mercado que o credor se compromete a recomprar em determinado prazo e paga juros periódicos). O valor total somou 75 milhões de dólares.

Foi quando começaram os problemas, com uma série de "nãos". Depois de investir bilhões de dólares na montagem de infraestrutura tecnológica, a BCP *não* caiu nas graças dos consumidores, *não* ameaçou a liderança da Telesp Celular (atual Vivo) e *não* chegou perto de apresentar os resultados prometidos. Pelo contrário. Seu balanço nunca saiu do vermelho. A dívida contraída pelo Grupo Estado, porém, precisava ser paga, e a empresa recorreu aos bancos atrás de novos empréstimos. O endividamento inflou até chegar, em dezembro de 2002, ao mesmo valor da receita líquida anual do grupo — insustentável, portanto.

Com a sombra da insolvência crescendo a cada dia, a empresa contratou uma consultoria especializada em reestruturação financeira, a Aggrego — liderada por Alcides Tápias, ex-diretor do Bradesco e da Camargo Correa e ex-ministro do Desenvolvimento, Indústria e Comércio. Tápias e dois outros pesos-pesados do mundo corporativo, Otávio Castello Branco e Roberto D'Utra Vaz, formaram um comitê que representaria a empresa junto aos bancos.

No diagnóstico apresentado à família Mesquita, o trio resumiu da seguinte forma a situação: em seis meses, o Grupo Estado não geraria mais receita suficiente para cobrir os custos e pagar as prestações da dívida. Elevar a receita leva tempo; mais rápido seria cortar despesas. Sem um plano muito bem desenhado para reestruturar a administração e reduzir os custos, os bancos não se convenceriam de que a companhia fosse capaz de honrar seus compromissos.

Tápias e seus sócios sugeriram meu nome para comandar a reestruturação operacional. Nós nos conhecíamos socialmente e nunca havíamos trabalhado juntos, mas a imagem do Galeazzi Mãos de Tesoura prevaleceu. O combinado era o seguinte: o comitê cuidaria dos bancos, e eu, com apoio da Galeazzi & Associados, trataria de reorganizar a gestão e referendar o planejamento a ser apresentado aos bancos. Pouco antes de minha chegada, Tápias conduziu com muita habilidade um dos processos mais delicados em qualquer trabalho de *turnaround* em companhias familiares — o afastamento dos parentes da gestão. No Grupo Estado o assunto era um tabu intocável desde sua fundação, em 1875. A presença de membros da família no topo da hierarquia era tão comum quanto a publicação de uma edição de *O Estado de S. Paulo* a cada dia. Os principais cargos executivos sempre foram ocupados por alguém com sobrenome Mesquita, a família proprietária do grupo.

No início de 2003, oito deles apareciam à frente de alguma das diretorias da casa. Cada uma funcionava como um feudo controlado por uma das ramificações do clã. No artigo "Detrás das dunas do Estadão", publicado na revista *piauí* em setembro de 2007, o jornalista Sandro Vaia, ex-diretor de redação de *O Estado de S. Paulo*, citou a avaliação de um consultor financeiro, segundo a qual a quarta geração da família Mesquita "perdeu-se em rixas banais e hostilidades fúteis". E afirmou ainda que "os credores têm grande relutância em aceitar que a liquidação de seus créditos fique entregue à mesma administração sob a qual eles se tornaram impagáveis e preferem cobrar os resultados de tais medidas de uma administração independente".

Uma mudança de tal profundidade não poderia partir de alguém "de fora" — a reação seria inevitável. Experiente no relacionamento com empresas familiares, Tápias sabia disso e desenhou uma estratégia para que a própria família sugerisse essa solução. Assim, preparou uma apresentação com seu plano de ação sem mencionar, em momento nenhum, o afastamento dos Mesquita. As medidas sugeridas (como redução de custos com a remuneração dos dirigentes, a necessidade de autonomia para os executivos, as inevitáveis demissões de funcionários antigos, entre outras) levaram um dos principais membros da família à seguinte conclusão: "Tápias, do jeito que você está apresentando, acho melhor a família ir para o conselho e contratar executivos". Tápias aproveitou a deixa: "Olha, sabe que eu não tinha pensado nisso?".

Aberta a brecha, Tápias alimentou o debate sobre o assunto. Depois de muita discussão, briga e resistência, os Mesquita aceitaram se recolher ao conselho de administração e entregar as funções executivas a profissionais. Segundo o plano de recuperação, eu ficaria na presidência executiva, com autonomia para tocar a gestão e promover as mudanças necessárias. Não foi o que aconteceu. Aquela reunião em que um dos acionistas se sentiu ofendido alterou o rumo das coisas. Eu permaneci na condição de consultor, liderando o processo de transformação com independência para tomar decisões necessárias para arrumar a casa.

Trombada com os Mesquita

Na década de 1970, o Grupo Estado construiu sob medida um grande prédio para abrigar as redações de seus jornais, a sede administrativa e uma das maiores gráficas do país. Localizado na avenida marginal do rio Tietê, no bairro paulistano da Casa Verde, o edifício possui linhas arquitetônicas retas, austeras e sólidas, sem nenhum traço de ostentação, que remetem à posição política do jornal, definida por Sandro Vaia como o "altar do pensamento liberal-conservador".

Foi lá que, pouco antes de iniciar o trabalho, me reuni algumas vezes com os acionistas. Num desses encontros, ao discutir minha autonomia, eles avisaram que manteriam suas salas no andar da diretoria, embora não tivessem mais cargos executivos. Para mim, isso significava enviar uma mensagem errada para dentro e para fora da empresa, o que era inadmissível, já que eles poderiam interferir no dia a dia da companhia e, por tabela, no processo de transformação. Não esperei para responder. Sugeri que se mudassem para outro prédio, longe da diretoria executiva.

Foi como ameaçá-los de expulsão da própria casa. Inconformados, encerraram a reunião e avisaram à Aggrego que a Galeazzi & Associados não mais trabalharia na empresa — e eu também não. Nos trinta dias seguintes, Tápias e sua equipe lançaram mão de toda a diplomacia para evitar o rompimento do contrato. Isso, eles alertaram, colocaria abaixo o plano de reestruturação e, por tabela, uma eventual demonstração de boa vontade dos bancos. Estrategicamente, não participei dessas rodadas de negociação. No fim, chegamos a um consenso. O conselho de administração (composto pelos representantes da família) se instalaria no prédio do Grupo Estado, mas num andar diferente da diretoria, com exceção de Francisco

Mesquita, que manteve a presidência e participou da reestruturação ativamente — e com muito profissionalismo.

Foi melhor assim. Eu não me sentia confortável para assumir o posto de CEO numa empresa como o Grupo Estado, que, por sua natureza, exerce enorme influência na opinião pública, requer bastante habilidade de negociação e relações políticas muito intensas, que incluem contatos permanentes com autoridades, instituições e congressistas. Essa relação com o poder não me atraía desde os tempos da Armaq, a empresa que fundei e terminou em concordata. Mais tarde, esse sentimento foi reforçado durante a passagem pelo Sesi e pela BP Mineração. Eu não era talhado para aquela posição no Grupo Estado, e não queria ocupá-la. Minha contribuição como consultor seria muito mais efetiva.

A partir daí, definida minha posição, comecei a reconstruir as pontes com a família. Francisco Mesquita — ou Chico, como faz questão de ser chamado — assumiu um papel crucial na reaproximação entre seus parentes e a nova gestão da companhia. Tinha o perfil certo para a missão. Com uma sólida formação acadêmica em administração nos Estados Unidos e experiência profissional em diferentes setores, Chico é uma pessoa calma, um bom ouvinte que sabe escolher com cuidado o momento de falar, e o faz com maestria. Em nenhuma ocasião, percebi em sua conduta traços de vaidade ou ego superdimensionado, demonstrando um desprendimento raro entre empresários de sua importância. Coube a ele negociar conosco um ponto nevrálgico: a relação com a área editorial.

Trata-se de um assunto espinhoso no mundo da comunicação. Os veículos de imprensa têm como matéria-prima a credibilidade junto ao público leitor, e havia o temor de que a reestruturação das operações atingisse esse que é o "valor supremo" de uma empresa jornalística, como explicou Chico Mesquita. Concordamos em preservar esse princípio a qualquer custo. Para evitar qualquer dúvida, uma das primeiras providências foi manter a área editorial sob o comando de Ruy Mesquita. Na posição de diretor de opinião, o dr. Ruy, como era conhecido, funcionava como um xerife da linha editorial do jornal e liderava um grupo de doze jornalistas sêniores para a produção dos três editoriais diários que retratavam a visão e o posicionamento do jornal sobre grandes temas nacionais.

Aí está um exemplo das particularidades de uma empresa de comunicação. Na ponta do lápis, parece exagerado um time de doze profissionais para redigir três textos. Nada disso. Os editoriais são a marca registrada de *O Estado de S. Paulo*, e a terceira página do jornal, onde são publicados, é um dos espaços mais influentes da imprensa brasileira. Não raro seis textos são redigidos num único dia, para apenas três serem utilizados. Mexer com isso seria atingir a própria essência da empresa. Chico Mesquita nos ajudou a compreender tais sutilezas do setor e a tomar a decisão correta: deixar o time seguir jogando com liberdade.

O trabalho no Grupo Estado foi um dos casos mais emblemáticos de minha carreira. Embora carregue o carimbo de implacável na condução dos projetos de *turnaround*, sou cauteloso com o patrimônio que não se vê — ou seja, o domínio das sutilezas de cada negócio, de quem vive o dia a dia e conhece os meandros da atividade. Como já falei em outras oportunidades, é preciso saber ouvir. Jim Collins, um dos mais badalados consultores empresariais da atualidade, disse certa vez numa entrevista à revista *Exame*: "Em tempos de crise, é ainda mais importante demonstrar que você nem sempre saberá tudo — e estará pronto para entender as mudanças constantes e aprender com elas".

Sam Walton, criador de uma das maiores companhias do mundo, a varejista Walmart, agia como um estudante, e não como um professor, e dessa maneira conseguia capturar as mudanças mais facilmente. Isso faz toda a diferença. "A humildade também ajuda na hora de construir um time de gente melhor do que você", nas palavras de Collins.

Guarda pretoriana

O projeto no Grupo Estado foi um dos mais complexos trabalhos da Galeazzi & Associados, em função de todas essas particularidades e do perfil do quadro de funcionários. Os jornalistas são pessoas muito críticas, politizadas, com grande capacidade de argumentação e uma postura de questionamento permanente. São características da própria natureza de sua atividade profissional, necessárias para o desempenho de suas funções. E muitas vezes permeiam outros campos de sua vida.

Não é difícil deduzir a reação diante da chegada da Galeazzi & Associados. O artigo publicado anos depois por Sandro Vaia na revista *piauí* reflete bem o espírito com que fomos recebidos. No texto, ele criticou especialmente nossos programas de treinamento e integração das equipes das diversas áreas da companhia. Vaia também centrou fogo na "guarda pretoriana", um termo utilizado por mim para designar o grupo de trabalho formado por representantes de cada um dos braços da companhia e por consultores da Galeazzi & Associados. Esse fórum discutia e desenvolvia ideias e sugestões de redução de custos e melhorias nos processos.

Muitos anos depois, em 2016, um livro intitulado *Mais rápido e melhor* expôs de onde brota a força de grupos de trabalho como o da guarda pretoriana. O autor é Charles Duhigg, jornalista do *New York Times* e vencedor do Prêmio Pulitzer. Duhigg cita a história de uma médica chamada Amy Edmondson e suas pesquisas a respeito do que batizou como "segurança psicológica":

> Segurança psicológica é uma "crença compartilhada (comum aos integrantes de uma equipe) de que o grupo é o lugar seguro para correr riscos. É uma noção de confiança no fato de que a equipe não constrangerá, rejeitará ou punirá alguém que queira expressar sua opinião", escreveu ela [Amy Edmondson]. "Descreve um ambiente caracterizado por confiança interpessoal e respeito mútuo em que as pessoas se sentem à vontade para ser autênticas."

A criação desse sentimento era importantíssima numa organização cindida pelos atritos familiares. A guarda pretoriana colocava na mesma mesa gente que praticamente não se comunicava — afinal, cada um pertencia a uma turma diferente, ou seja, os feudos cristalizados na companhia. Sem romper esse isolamento e transformar aquele punhado de ilhas em um arquipélago, as sinergias não apareceriam.

Sempre surgiam resistências diante das sugestões para gerar economias. O interessante, porém, é que as reduções mais significativas se deram com a participação decisiva e o endosso desse grupo de trabalho. Vaia, um jornalista experiente e dono de uma sólida cultura geral, questionava muito o trabalho, mas assumia uma postura colaborativa quando enxergava resultados positivos.

Um dos embates mais duros envolveu a duplicidade (ou melhor, multiplicidade) de equipes e funções. A empresa mantinha quatro veículos de comunicação: dois diários (*O Estado de S. Paulo* e *Jornal da Tarde*), uma agência de notícias (Agência Estado) e uma estação de rádio (Eldorado). Cada um fazia sua própria cobertura dos fatos jornalísticos. No caso, por exemplo, de um evento público com o presidente da República, a companhia enviava quatro repórteres e três fotógrafos (evidentemente, a rádio não tinha fotógrafos) em quatro carros diferentes. Sinergia zero e custos multiplicados por quatro.

Muitas vezes, *O Estado de S. Paulo* e o *Jornal da Tarde* concorriam entre si e publicavam as mesmas notícias e destaques. Esse modelo se estendia para todos os negócios do grupo. Cada um tinha estruturas próprias para recursos humanos, contabilidade, transporte etc. Era uma distorção de grandes proporções. Em nosso diagnóstico, identificamos 1245 funções redundantes para um total de 3130 funcionários.

Assim sendo, a produtividade se situava em níveis baixos para os padrões internacionais. A justificativa era que cada veículo tinha sua própria linguagem, pois atendia a públicos específicos. Verdade. Mas as informações na prática eram as mesmas. Então por que não uma só equipe cuidava da apuração e internamente cada mídia tratava o material de acordo com as particularidades de seu público leitor?

Havia um motivo oculto para esse tipo de organização. As diversas alas da família dividiam entre si as áreas de responsabilidade sem que uma interferisse na outra. Qualquer ação conjunta entre os diversos negócios sofria uma oposição dura, já que era vista como ingerência ou perda de poder. Isso criava uma cultura em que os negócios não eram avaliados por seu desempenho, e sim por abrigar esse ou aquele ramo da família.

Uma análise mais apressada sugeriria simplesmente fechar as portas das atividades deficitárias. O problema, nesse caso, é atirar o bebê fora junto com a água do banho, uma expressão antiga que remete ao risco de tomar decisões precipitadas. Em alguns momentos e por um período definido, o prejuízo é inevitável, pois o negócio ainda está em fase de maturação e não gera recursos suficientes para cobrir as despesas. O retorno virá mais à frente. Em outros momentos, o prejuízo revela um apego emocional, político ou simplesmente fruto da teimosia em manter certos negócios sem viabilidade.

No Grupo Estado, ambas as situações existiam. O recém-lançado portal do jornal *O Estado de S. Paulo* vivia no vermelho, mas estava em fase de amadurecimento e representava o passo inicial e obrigatório da empresa rumo ao universo digital. Ali estava o futuro, e não havia como abandoná-lo. No outro extremo, encontrava-se o *Jornal da Tarde*, um diário vanguardista na década de 1960, quando foi lançado, mas que havia anos perdia espaço no mercado e acumulava prejuízos. Suas perspectivas de sobrevivência no novo cenário da comunicação eram praticamente nulas — e eu defendia que fosse retirado de circulação para estancar a hemorragia de dinheiro.

Não havia condições políticas internas para tanto, em função da oposição de alguns ramos da família. Isso somente adiou a decisão e prolongou a agonia de uma morte anunciada. Em outubro de 2012, quase dez anos depois de minha passagem por lá, o JT, como era carinhosamente chamado, foi às bancas pela última vez.

"Olha que o Galeazzi vem aí"

Apesar de uma ou outra concessão, a maior parte das sugestões foi implantada. Havia credores fungando no pescoço da empresa — e nada é tão convincente para derrubar resistências. Com a necessidade urgente de passar a tesoura nas despesas e os números comprovando os resultados positivos, estabelecemos um sistema de colaboração entre todos os veículos de comunicação do grupo, reduzindo bastante o nível de redundância de funções relacionadas às redações.

Levamos o mesmo conceito para outras áreas administrativas. Atividades de apoio como recursos humanos, contabilidade, transportes, entre outras, foram abrigadas em uma única central administrativa que prestava serviços para os diversos braços de negócios do grupo. A nova organização enxugou em cerca de 30% os custos da estrutura administrativa.

Da mesma forma, obtivemos uma forte redução no consumo de papel, segundo colocado no ranking de custos para a produção de um jornal, atrás apenas das despesas com pessoal e à frente da distribuição. As equipes da área comercial e de redação dos dois jornais passaram um pente-fino em todos os suplementos e cadernos especiais, analisando a rentabilidade de cada um, o índice de leitura, a repercussão jornalística, entre outros fatores. Com base nesses estudos, produtos saíram de circulação, editorias foram redimensionadas e estabeleceram-se cotas de consumo de papel para os jornais.

O quadro de pessoal também entrou num regime de emagrecimento severo. Mais de quinhentos funcionários deixaram o grupo, a maioria no processo de redução na duplicidade de funções. A migração dos familiares para o conselho de administração também nos deu a oportunidade de tornar a diretoria executiva mais compacta. Por exemplo: as áreas de recursos humanos, finanças, produção e distribuição foram colocadas sob uma única diretoria, que comandava times de gerentes especializados em cada uma.

Ao mesmo tempo que fazíamos o dever de casa, Tápias e sua equipe travavam uma queda de braço com os bancos. Numa estratégia pouco usual em casos como esse, a proposta inicial desenhada por ele não previa um desconto no valor total dos débitos. A prioridade era conquistar mais prazo de pagamento, demonstrando que o plano de reestruturação apresentaria resultados em alguns meses e, aí sim, geraria caixa suficiente para quitar as dívidas. Com a argumentação, Tápias conseguiu uma carência de seis meses.

Vencida essa etapa, Tápias esticou a corda com outra exigência. Os juros cobrados do Grupo Estado pelos bancos batiam na estratosfera, porque se tratava de uma empresa em sérias dificuldades financeiras e alto risco de insolvência. Por outro lado, ponderou ele, se os resultados se tornassem mais saudáveis, os juros deveriam cair na mesma proporção, pois a possibilidade de calote diminuiria. Os Mesquita se comprometiam ainda a direcionar todo o dinheiro arrecadado com a venda de ativos do grupo para abater o endividamento. Mais uma vez, os bancos disseram sim. O Grupo Estado passou adiante sua participação acionária em uma fábrica de papel, a Pisa. A BCP também foi negociada, com o bilionário mexicano Carlos Slim, por um preço equivalente a menos de 20% de seu valor original.

Não estive em nenhuma dessas reuniões com bancos, mas indiretamente participei da negociação. Chico Mesquita contou que os representantes das instituições financeiras temiam que eu aparecesse com um pedido de recuperação judicial debaixo do braço, como fizera em minha passagem pela Mococa.

A história ocorrera anos antes e se espalhara pelo setor bancário. Tápias, Chico e os demais negociadores do Grupo Estado nunca confirmaram se eu me juntaria ao time — mas também não negaram, deixando a ameaça no ar, o que aumentou seu poder de barganha. É como se dissessem: "Olha que o Galeazzi vem aí". Bancos não gostam de empresas em dificuldades financeiras, e menos ainda de empresas quebradas. Afinal, cliente morto não paga.

Com o fôlego conquistado na negociação com os bancos, logo o Grupo Estado afastou qualquer dúvida sobre sua capacidade de recuperação. As despesas fixas caíram 9,9%, enquanto os custos com pessoal, 13%. Com isso, o Ebitda, o lucro antes dos impostos e amortizações, mais do que dobrou, sobrou mais dinheiro no caixa e, por tabela, a relação entre endividamento e geração de caixa caiu o suficiente para garantir o pagamento das parcelas. Todas as metas definidas no projeto inicial foram atingidas em um ano. Chegamos a cogitar uma antecipação de pagamento da dívida, mas como nos tornamos bons pagadores os bancos não quiseram, pois teriam de aplicar descontos generosos. Preferiram negociar os prazos com juros menores.

Tempos depois de nossa saída, com o endividamento bancário em níveis aceitáveis, os familiares foram reassumindo pouco a pouco a gestão. Após algumas idas e vindas, Chico Mesquita assumiu a presidência e lá continua. Sem dúvida, ele e seu primo Roberto Mesquita são os profissionais mais capacitados da família. Certa vez, ele disse que as consultorias da Aggrego e da Galeazzi & Associados representaram dois cursos de MBA simultâneos. Com Tápias, ele absorveu os macetes e os métodos de negociação em situações de crise. Da convivência comigo, incorporou o rigor com os custos e a parcimônia dos gastos, que exemplifica da seguinte forma: "Hoje, quando a empresa precisa comprar uma simples caneta, eu pergunto: 'Precisamos dessa caneta?'. Se me convencerem da necessidade, volto a questionar: 'Precisamos de uma caneta dessa marca? Não pode ser uma mais barata?'. Independentemente da resposta, volto a perguntar: 'Esse é o melhor preço a pagar?'. E, por fim, o ponto mais importante: 'Estamos utilizando essa caneta da forma correta para que nos dê o melhor retorno possível?'".

Enfim, deixei um legado no Grupo Estado que não se limita aos resultados obtidos em um ano de trabalho. No artigo de 2007 da *piauí*, Sandro Vaia, falecido anos depois, resumiu a história: "Depois de pouco mais de um ano, e uns quinhentos demitidos, com a família controladora fora dos postos executivos, a Galeazzi & Associados entregou aos bancos a sua obra: uma empresa em condições de pagar a sua dívida, que foi refinanciada".

Eu acrescentaria: a Galeazzi & Associados ajudou a recuperar o Grupo Estado e a preservar na ocasião mais de 2600 empregos.

CAPÍTULO 11

Grupo Pão de Açúcar

"Meu pai é uma pessoa de relacionamento difícil. Como você vai se dar com ele?"

Ana Maria Diniz tinha autoridade suficiente para me fazer aquela pergunta cabeluda e pertinente durante uma conversa ocorrida em meados de 2007. Ela é filha de Abilio Diniz, então controlador do Pão de Açúcar, e liderava o comitê responsável pelas políticas de recursos humanos do grupo. Eu estava ali porque fora convidado pessoalmente por Abilio para assumir uma posição executiva na empresa, ainda não definida.

Sem constrangimento diante da questão, respondi: "Quando fui presidir a Cecrisa em Criciúma, no interior de Santa Catarina, perguntaram se eu me adaptaria ao ritmo pacato da região. Eu disse que sim, pois chegaria sem preconceitos, disposto a gostar da cidade e aproveitar o que ela oferecia de bom. Adorei minha passagem por lá e até hoje tenho ótimas recordações de Criciúma. Com seu pai, será o mesmo: venho com a intenção de gostar dele e não de confrontá-lo".

Bem, já nos primeiros tempos depois de ser contratado, percebi que a convivência com Abilio no dia a dia seria repleta de desafios. Por isso, me equilibrei entre duas posturas complementares: não abriria mão de minha autonomia, mas em momento nenhum contestaria sua autoridade e seu direito como dono. Quando discordava dele em alguma reunião, adiava a discussão, dizendo mais ou menos o seguinte: "Acho que o assunto ainda não está maduro. Vamos pensar mais alguns dias". Ou: "Bem, se estamos com dúvida, precisamos buscar mais informações antes de decidir".

A seguir conversava a sós com Abilio e aparava as arestas. A diplomacia não visava apenas evitar conflitos. Representava também o respeito que eu nutria por seu espírito empreendedor e por sua trajetória de sucesso no mundo dos negócios. O Grupo Pão de Açúcar (ou simplesmente GPA, na denominação oficial) era sobretudo fruto de seu talento e sua tenacidade.

Abilio é um guerreiro. Determinado, persegue seus objetivos a qualquer custo. Ao entrar em um conflito (e não são poucos), usa todas as armas ao seu alcance. É como uma briga de rua, em que ele sempre encara como uma disputa de igual para igual, independentemente do tamanho do adversário. Não espere clemência, já que ele também não dará. A vitória é o que interessa, seja diante de um familiar, seja contra um empresário poderoso, como Jean-Charles Naouri, presidente do grupo francês Casino, com quem travou uma antológica batalha corporativa e judicial anos depois, em 2013. Esse dinamismo o leva a se reinventar constantemente — tanto que, aos 67 anos, se casou com Geyse (o lado suave e de bom senso dele) e nos anos seguintes foi pai duas vezes, de Rafaela e Miguel.

Em três anos no Pão de Açúcar, Abilio e eu não entramos em nenhum conflito sério. A meu favor, havia dois elementos. Em menos de quatro anos, eu era o terceiro nome a ocupar a presidência do grupo. A alta rotatividade na posição desagradava o mercado e se refletia nas cotações baixas das ações do GPA. Portanto, mais uma troca repercutiria muito mal entre os investidores, inclusive os franceses do grupo varejista Casino. Além disso, eu carregava um aval importante, graças aos resultados obtidos nos seis meses anteriores, quando estive à frente da rede Sendas, controlada pelo GPA, e conquistei a confiança de Abilio Diniz.

"Você ainda tem pique?"

No final de 2007, o executivo Enéas Pestana, então vice-presidente de finanças do GPA, foi chamado por Abilio. "Enéas, estes números do Sendas estão corretos? Não têm maquiagem ou algum truque?" Abilio tinha em mãos um relatório com os resultados dos quatro meses anteriores da rede fluminense, e apontavam uma recuperação surpreendente. O prejuízo constante dos anos anteriores havia cedido lugar a um lucro consistente. No terceiro trimestre de 2007, os ganhos somaram 10,6 milhões de reais, contra 42,2 milhões de reais no vermelho no mesmo período do ano anterior. A geração de caixa mais do que dobrou, saltando de 1,4% para 3,5% do faturamento. E a histórica liderança de mercado no Rio de Janeiro se mantinha inalterada. Enéas admitiu que também ficara surpreso, mas assegurou que sim, os indicadores refletiam a situação real da companhia. "Foi uma virada e tanto", disse ele ao patrão.

Abilio fez os mesmos questionamentos a outros executivos, e a resposta foi idêntica. "Bem, acertei na escolha", gabou-se ele, segundo me contaram alguns desses interlocutores. Cerca de um ano antes, no segundo semestre de 2006, tive meus primeiros contatos com Abilio Diniz. Na ocasião, o GPA entrara em uma negociação para comprar a rede Atacadão, líder no segmento chamado atacarejo — que, como indica o nome, mistura as características do atacado com as do varejo. São lojas despojadas, com produtos vendidos a preços baixos em embalagens com mais de uma unidade, cujo público-alvo são pessoas físicas e pequenos comerciantes.

O atacarejo era o segmento no setor de comércio que mais crescia no país, pois atraía os consumidores da chamada classe média emergente, formada por brasileiros que experimentaram uma súbita ascensão social em virtude do crescimento econômico no país. O GPA contava com um parceiro de peso na negociação — a Acon Investments, um fundo de *private equity* americano sediado em Washington, DC, demonstrou interesse em investir 700 milhões de reais para participar do capital da empresa resultante da fusão entre Atacadão e Extra (uma das redes varejistas do GPA).

Para isso, havia algumas condições. Uma delas: eu deveria ocupar a presidência da empresa resultante. Pércio de Souza, sócio da Estáter, uma butique de investimentos, era quem representava o GPA nas tratativas. Participei de várias rodadas de negociação como ouvinte e, em algumas delas, Abilio estava presente. Quando tudo parecia caminhar para um final feliz, o Carrefour se antecipou, pagou 100 milhões de dólares a mais do que o GPA e arrebatou o controle do Atacadão em abril de 2007. O GPA perdeu a corrida devido à arrogância e à prepotência com que seus representantes lidaram com o pessoal do Atacadão, mas deu o troco logo após, adquirindo 60% do capital do Assaí, outra grande rede de atacarejo.

Poucos meses depois, eu passeava de bicicleta em Orlando, nos Estados Unidos, quando recebi um telefonema de Abilio. Durante uma longa conversa, ele me disse que gostaria de contar comigo no quadro de dirigentes do grupo. "Em qual posição?", perguntei. "Depois a gente vê isso", disse Abilio. "O importante é que você venha para cá."

Assim que retornei ao Brasil, nos encontramos em São Paulo, em uma reunião com a presença de Cássio Casseb, então presidente do GPA. Logo, a conversa enveredou para a pergunta que não queria calar: Qual seria o meu posto? Na falta de uma resposta conclusiva, sugeri: "Qual é a área mais problemática neste momento?". Ambos responderam que era o Sendas, a rede fluminense adquirida havia quase quatro anos e que até então não entrara nos eixos. "Então, me dê o comando do Sendas que faço o *turnaround*", propus. Nesse momento, Casseb me perguntou se na minha idade, 67 anos, eu teria "pique" para aguentar a barra de liderar uma empresa enroscada como o Sendas. Respondi de forma bem-humorada: "Ora, pergunta para o Abilio. Ele tem setenta anos, é mais velho do que eu".

Abilio já se encontrava em rota de colisão com Casseb — que, na minha opinião, é um grande profissional. Não demorou para que eu me deparasse com outros desafios. Meu cicerone no Sendas chamava-se Jorge Herzog, que, com minha nomeação, ficou numa posição incômoda. Pouco mais de cinco meses antes, fora despachado rumo ao Rio de Janeiro para integrar as operações das bandeiras do grupo — Pão de Açúcar, Extra, Compre Bem e Sendas — numa só companhia. Com minha chegada para tocar o Sendas, haveria uma sobreposição em diversas funções.

Herzog mal começara o trabalho e já aparecia um sujeito (no caso, eu) para ocupar a função reservada a ele. Uma situação no mínimo confusa. Liguei para ele assim que acertei minha contratação com Abilio e Casseb e disse que gostaria de ajudá-lo no desafio de reerguer o Sendas. A resposta revelou seu senso de humor e sua atitude colaborativa: "Galeazzi, do jeito que as coisas estão por aqui, aceito ajuda até de pai de santo...".

Dias depois, almoçamos no Rodeio, uma tradicional churrascaria em São Paulo. A química foi imediata. Nascido em Petrópolis e formado em economia, Herzog passou seis anos no Exército antes de ingressar no Carrefour e dar o pontapé inicial em uma bem-sucedida carreira no varejo. Desde o primeiro encontro, me deu informações importantes e sugeriu que visitássemos as lojas, a sede e os centros de distribuição. Decidi que ele ficaria no posto, reportando-se a mim. Herzog conhecia em profundidade o setor e as particularidades do mercado fluminense. Por outro lado, cometia um erro que apontei já nos primeiros dias: "Você está mais preocupado em cuidar da loja e verificar se o bacalhau está bem cortado. Tem que olhar mais a empresa e não tanto o negócio". Trata-se de uma falha comum entre os varejistas — muita atenção à linha de frente, ou seja, às lojas, e pouca disponibilidade para a retaguarda, como a área financeira, a contabilidade, as questões societárias e a parte fiscal. Como já comentei em capítulos anteriores, é mais preocupação com as transações do dia a dia do que com a empresa como um todo.

Resistência silenciosa

No varejo, a execução (ou operação) vence o jogo. Numa loja, tudo precisa funcionar muito bem — limpeza, reposição de mercadorias, agilidade nos caixas, segurança alimentar, informações sobre o preço etc. O número de variáveis é incalculável. Por isso os executivos e até os próprios donos de redes varejistas valorizam muito sua presença física nos pontos de venda, reproduzindo de certa forma antigos bordões como "o olho do dono engorda o gado" e "comércio exige a barriga no balcão".

Até o fim de sua vida, Sam Walton, o lendário fundador do Walmart, visitava lojas de tempos em tempos e aproveitava essas ocasiões para conversar com funcionários e clientes, além de palpitar na exposição de produtos e na concessão de descontos, entre outras sugestões. Mas Walton não dispensava todas suas energias a essa tarefa, claro. Colocar a barriga no balcão era uma necessidade para um negócio em fase de consolidação, mas inviável para uma empresa que, como o Sendas, faturava quase 1,3 bilhão de reais por ano.

Era nisso que eu insistia com Herzog: é preciso focar também na empresa, e não só na operação do dia a dia. Ele rapidamente captou a nova orientação. Outros, no entanto, ofereceram uma resistência silenciosa, tão danosa como a oposição escancarada. Não era a primeira vez que me via em uma situação como essa. Em certa ocasião, na Lojas Americanas, pedi aos cabeças de cada área que preparassem relatórios com os resultados que deveriam ser entregues à matriz. Nada feito. Alguns chegaram de mãos vazias no dia marcado; outros apresentaram um trabalho malfeito e incompleto. Não me alterei. "Bem, vocês não tiveram tempo de preparar o material. Então, vamos marcar uma nova reunião para o próximo sábado à tarde e, se necessário, domingo à tarde. Assim, vocês ainda terão a manhã do domingo para fazer uma última revisão." O fim de semana de todos estava comprometido. Eles entenderam a mensagem, e nunca mais tive esse tipo de problema por lá.

O Sendas padecia de uma espécie de síndrome de ineficiência adquirida. Os principais sintomas são o foco exacerbado no aumento do faturamento e o descontrole dos custos. Já falei sobre essa enfermidade em outros projetos nos quais me envolvi. O tratamento começou com a implantação de um comitê de caixa, uma ferramenta de monitoramento de despesas desenvolvida na Galeazzi & Associados. Com algumas variações de acordo com a realidade de cada empresa, trata-se de um grupo formado por representantes de diversas áreas, preferencialmente os mais cri-cris. A equipe é soberana, respondendo diretamente a mim, e tem autonomia para convocar qualquer executivo da empresa para esclarecer eventuais dúvidas sobre um pagamento autorizado por ele. Semanalmente, os integrantes se reúnem e passam um pente-fino em todos os pagamentos programados e nas notas fiscais recebidas de fornecedores. Mesmo que a liquidação do débito tivesse sido aprovada anteriormente, o processo poderia ser questionado.

Nesse minucioso trabalho, aparecem os ralos por onde o dinheiro escoa. Por exemplo: só com serviços de desentupimento de banheiros nas lojas Sendas, eram gastos 70 mil reais por mês — e isso em valores de 2007. O que fazer? Fechamos um contrato com uma empresa especializada por um valor mensal preestabelecido. Sempre que houvesse um problema hidráulico numa das unidades, o gerente ligava para esse prestador de serviço. O custo, nesse caso, caiu 30%. Outro problema: a empresa arcava com as despesas de táxis para funcionários que trabalhassem além do horário do expediente. Coisa de 100 mil reais mensais. Mudamos esse sistema. O transporte passou a ser feito em vans com capacidade para até dezesseis pessoas. Nas unidades de menor demanda, fizemos parcerias com cooperativas de táxis, que aceitavam dar um desconto nas corridas. A redução bateu em 50%.

O enxugamento mais forte das despesas veio de uma renegociação com o escritório central do GPA. A empresa controladora prestava serviços administrativos para o Sendas, como gestão da folha salarial, pagamentos de tributos, entre outros. E cobrava por isso. O valor, em minha opinião, estava alto demais, e pedi um desconto significativo, ao mesmo tempo que eliminava tarefas desnecessárias. Executivos dos dois lados levaram semanas para chegar a um consenso. No fim, o "preço" pago ao GPA pelos serviços prestados caiu mais de 50%. Enquanto fazíamos o dever de casa, as lojas do Sendas passavam também por uma repaginação geral, sobretudo no conceito da operação.

Um aliado improvável

Nenhuma rede de supermercados no Rio de Janeiro oferecia preços melhores do que o Sendas. Com enorme poder de barganha — pois negociava as compras em conjunto com o GPA —, a empresa levava vantagem visível sobre os concorrentes. Mas não sabia aproveitá-la, já que desconsiderava as características dos públicos de cada região em que atuava.

Os preços dos vinhos, por exemplo, eram campeões, o que garantia nosso sucesso em lojas do Leblon e da Gávea, por exemplo, bairros de classe média alta, com muitos consumidores habituais da bebida. Já nas unidades da Baixada Fluminense, não fazia a menor diferença, já que os hábitos de compra da clientela eram completamente diferentes. No entanto, a exposição do produto era a mesma em todas as localidades. Não fazia sentido. Embora o Sendas oferecesse vinhos na Baixada Fluminense pelo melhor preço do mercado, o estoque encalhava.

O mix de produtos em cada ponto de venda passou por uma revisão profunda, de modo a se adequar aos desejos dos consumidores locais — a chamada "clusterização". Novas regras de desconto foram definidas para evitar a tendência de "vender mais barato a qualquer custo", como era a prática usual da companhia. Levado ao extremo, esse comportamento gerava uma equação irracional: quanto mais se vendia, maior o prejuízo.

Virar a chave dos gerentes de loja nessa direção exigiu mais do que convencimento. A maioria havia chegado ao cargo em função do tempo de casa e de critérios como lealdade e dedicação — insuficientes, a meu ver, para um bom desempenho profissional. Nem sempre apresentavam qualificação apropriada para a função. Rapidamente montamos um programa de trainees e recrutamos recém-formados em cursos de administração de empresas, economia e engenharia.

Os jovens se tornaram "sombras" de gerentes bem avaliados, e em seguida assumiram o comando de outras unidades. A rotatividade nessas posições nos primeiros dois meses atingiu 30% dos pontos de venda. No processo de *turnaround* contamos com um aliado até certo ponto improvável. Artur Sendas dedicou sua vida ao comércio. Com a morte prematura do pai, assumiu um pequeno armazém da família com apenas dezessete anos e nas décadas seguintes criou a maior rede de supermercados do Rio de Janeiro, que em seu auge somava mais de cem lojas e faturamento de 2,5 bilhões de reais.

Em dezembro de 2003, vendeu 42,5% do capital para o GPA, manteve uma parcela idêntica, e o restante ficou nas mãos de investidores financeiros. Embora o controle acionário estivesse dividido em partes rigorosamente iguais, quem passou a mandar de fato foi Abilio Diniz. Mas seu Artur, como era chamado pelos funcionários, continuou dando expediente na sede da empresa, um enorme complexo em São João do Meriti, no Rio de Janeiro.

Quando cheguei ao Sendas, encontrei um homem educado, afável no trato e um pouco amargurado com o distanciamento das grandes decisões no empreendimento que havia criado. Era pouco consultado quanto aos rumos da companhia, embora, com sua experiência e conhecimento da cultura de consumo, pudesse colaborar bastante. Logo comecei a convidá-lo para algumas reuniões. Antes de implantar decisões importantes, ia à sua sala e explicava os motivos e os resultados esperados da iniciativa. Outras vezes, pedia que nos acompanhasse nas visitas às instalações da empresa, sobretudo às lojas. Como era muito admirado internamente, sua presença ao nosso lado reforçava a confiança dos funcionários no processo de transformação que estávamos conduzindo.

Católico praticante e profundamente religioso, seu Artur mantinha uma pequena capela na sede da companhia. No dia 28 de cada mês, um padre rezava lá uma missa em homenagem a são Judas Tadeu, do qual era devoto. Para os mais próximos, distribuía medalhinhas com a imagem do santo. Certa vez, ao retornar de uma viagem a Portugal, me presenteou com uma cruz de caravaca, que uso até hoje. Todas as manhãs, reservava alguns minutos para uma oração, na qual pedia proteção para pessoas cujos nomes anotava numa folha de papel. Nada disso evitou que entrasse num litígio judicial com Abilio, questionando o cumprimento de cláusulas no acordo firmado entre ambos. Em abril de 2008, perdeu a disputa nos tribunais, poucos meses antes de morrer baleado por um ex-motorista da família. Mas nessa época eu já não estava à frente do Sendas.

Os seis princípios

Numa manhã de domingo em novembro de 2007, Enéas Pestana, o então diretor financeiro do GPA, recebeu um telefonema de Abilio Diniz. "Você pode vir à minha casa hoje à tarde?". Sim, Enéas podia. O convite era raro. Abilio não costuma receber os subordinados em sua residência. Ao chegar lá, Enéas encontrou membros do conselho de administração do grupo, incluindo Ana Maria e João Paulo, filhos do empresário, além de uns poucos executivos de sua confiança. O assunto era a escolha do novo presidente do GPA.

A sorte de Cassio Casseb estava selada. Em pouco mais de um ano de convivência, o relacionamento entre ele e o chefe se desgastara até um ponto sem retorno. Diversos profissionais do mercado foram lembrados, até que alguém falou em meu nome. A virada promovida no Sendas em apenas quatro meses me credenciava para a sucessão. Segundo Enéas me relatou tempos depois, pela primeira vez Abilio pareceu confortável, como se dissesse: "Bem, agora tenho um nome".

O martelo não foi batido ali. Abilio encerrou o encontro dizendo que consultaria os sócios franceses do Casino antes da decisão final. Em meados de novembro, ele me convidou oficialmente para ser o presidente do GPA. Cerca de três semanas depois, a mudança de comando se tornou oficial. O mercado gostou. No dia seguinte a minha nomeação, as ações do grupo subiram 2,4%. Uma apresentação do Abilio para analistas de investimentos terminou com aplausos pela escolha. O banco Goldman Sachs previu uma valorização de 36% no valor de mercado da companhia no prazo de um ano. Apimentadas pela euforia, as estimativas me pareciam exageradas — mas, deixando a modéstia de lado, os números no decorrer do ano seguinte provaram que não estavam erradas.

A responsabilidade pela valorização das ações, claro, foi de Abilio, segundo ele mesmo. "O mercado ratificou a nossa escolha", afirmou. "Não havia nome melhor." Na mesma reunião com os analistas, percebi o quanto precisaria exercer meu jogo de cintura para garantir um relacionamento saudável com ele. Lá pelas tantas, Abilio afirmou que me daria "carta branca" na gestão. Minutos depois, baixou minha bola. "Nos últimos cinco anos, eu vi muitas coisas erradas e não interferi. Agora não vai ser mais assim."

No GPA encarei desafios diferentes dos meus projetos anteriores. O porte do grupo superava o de qualquer outra companhia. Com receita bruta de 17,6 bilhões de reais em 2007, empregava 66 mil pessoas e possuía 575 lojas com diversas bandeiras: Pão de Açúcar, Extra, Assaí, Sendas, Compre Bem e outras menores. O lucro líquido bateu em 211 milhões de reais naquele ano. Bons números. E grandiosos. Mas, analisados com uma lupa, expunham a face oculta da empresa.

O GPA apresentava todos os sintomas de uma organização estagnada, o que era confirmado por outros indicadores. A margem Ebitda caía havia três anos, de 8,7%, em 2005, para 6,7%, em 2007. O número de pontos de venda crescia a passos lentos, em comparação com os principais concorrentes. O Walmart expandiu sua rede em 13%, e o Carrefour em 5%, no mesmo período. O GPA, em apenas 3%. O faturamento cresceu 7% em 2007, mas o lucro, embora positivo, recuava continuamente desde 2004. As vendas por metro quadrado, um importante termômetro de eficiência, se mantinham quase no mesmo patamar fazia cinco anos. O mercado percebia o quadro de letargia e dava o recado. O valor das ações continuava no mesmo nível desde 2002.

Assim como o pico do Pão de Açúcar, cartão-postal do Rio de Janeiro, o GPA era sólido, colossal e vistoso, mas absolutamente estático. Havia muito a fazer para chacoalhar essa estrutura. Apesar do caráter de urgência, nos primeiros 45 dias não tomei nenhuma decisão relevante. Comparecia às reuniões de diretoria como mero ouvinte. Se alguém buscava minha opinião a respeito de algum assunto, eu devolvia a pergunta: "O importante é o que você acha".

Ao mesmo tempo, convoquei reuniões com as equipes das principais áreas da companhia, necessariamente sem a presença do diretor ou vice-presidente responsável. Com essas medidas, tomei o pulso da empresa e fiz um mapeamento dos talentos disponíveis. Com base nessa avaliação preliminar e passado o período de 45 dias, convoquei dois dos vice-presidentes, Enéas Pestana e José Roberto Tambasco. A escolha levou em conta três critérios. O primeiro foi a capacidade profissional de ambos. Segundo: a visão estratégica. Terceiro: eles tinham experiências complementares. Enéas era homem da gestão, com grande vivência no campo financeiro e administrativo. Tambasco, por sua vez, dominava os assuntos ligados ao mercado, tanto na operação dos supermercados como na relação com os consumidores — e além disso demonstrava um enorme carisma, que lhe garantia uma liderança natural entre os colaboradores.

A tarefa ia muito além da soma das especializações da dupla. Cabia a eles, no prazo de um mês, desenhar e propor uma nova organização administrativa para o grupo. Isso significava eliminar funções, criar cargos, fundir diretorias e departamentos, demitir e contratar gente. Não defini nenhum detalhe, apenas determinei seis princípios que a nova estrutura deveria seguir: *back to basics* (ou seja, voltar às origens), simplicidade, agilidade, foco nos resultados, integração e *empowerment* — palavra traduzida para o português como "empoderamento", muito em moda hoje em dia, mas pouco usada à época.

Essa orientação adquiriu tamanha força dentro da empresa que o relatório anual do GPA referente a 2008 foi dividido em seis capítulos, cujos títulos eram justamente cada uma dessas diretrizes. A diretoria executiva deveria passar por um enxugamento obrigatório, eu disse a eles, pois com quinze membros as decisões eram lentas e havia pouca interação. Tratava-se de uma tarefa "hercúlea", como disse Enéas. Concordei e brinquei: "Nas próximas semanas, vocês vão passar os dias trancados numa sala trabalhando nisso. Fiquem tranquilos que todos os dias coloco uma pizza por baixo da porta para vocês".

Ambos riram, mas nas semanas seguintes não vi mais sorrisos em seus rostos, e sim tensão e preocupação, tamanha era a importância da tarefa sob sua responsabilidade.

A dor da demissão

Enéas e Tambasco chegavam muito cedo, geralmente antes das sete da manhã, e saíam depois das dez da noite. O trabalho era solitário. Afinal, qualquer vazamento sobre a reorganização provocaria insegurança, boataria e, por tabela, queda de rendimento dos funcionários. Quando necessitavam de informações de outras áreas, eles as solicitavam com muito cuidado, e às vezes "em parcelas", para não despertar a atenção.

O momento mais dramático aconteceu na hora de preencher cada uma das caixinhas do novo organograma. Era como uma dança das cadeiras. Havia mais nomes do que lugares — e muitos seriam dispensados. As escolhas implicavam estudar o perfil dos executivos, avaliando seu histórico e sua capacidade de atender às novas demandas e ao novo estilo de gestão. A palavra final, claro, não cabia a eles, e sim a mim e ao Abílio. Mas a indicação de Enéas e Tambasco teria uma influência enorme.

De tempos em tempos, eu perguntava como as coisas estavam caminhando. E parava por aí. Abilio também pedia informações e, algumas vezes, dava sinais de que pretendia participar do desenho da estrutura. Eu segurava a ansiedade dele, pois a mudança não poderia ser vista como um processo de cima para baixo. Finalmente, recebi a proposta de reestruturação elaborada pela dupla de executivos. Depois de alguns dias, Enéas perguntou se eu havia lido o material. "Acho que não está bom. Você e o Tambasco podem melhorar", respondi.

Mais alguns dias, e a segunda versão foi colocada na minha mesa. Não me manifestei até eles me questionarem. "Melhorou, mas ainda não está no ponto ideal", afirmei. "Façam mais uma revisão."

Na terceira vez, voltei a mostrar insatisfação. Foi quando Enéas entregou os pontos: "Bom, Claudio, é o seguinte: da minha parte chegamos ao limite. Desculpa, veja alguém para revisar. Com todo o respeito, eu não vou mais olhar isso aí".

"Ah, é? Tem certeza?"

"Sinceramente, estou no meu limite; não dá mais."

"Então, está bom. Deixa aqui que agora, sim, eu vou olhar."
Enéas me encarou, incrédulo.
"Você não viu ainda?"
"Não."

Ele não sabia se ria ou xingava. Não fez uma coisa nem outra, mas, volta e meia, conta a história e se diverte com ela. Minha atitude não se deu por empáfia, nem como uma demonstração de poder. Aliás, não fui eu o "inventor" dessa tática. Tomei conhecimento dela na leitura de algum livro (não lembro qual). Gostei dessa abordagem porque é uma forma de extrair o máximo do talento e compromisso das pessoas. Sempre dá para melhorar. Quando se termina um projeto, convém colocá-lo em repouso e voltar a ele depois — no dia seguinte, por exemplo. Com certeza haverá pontos que podem ser aprimorados. O mesmo vale para a tomada de decisões. Se não forem absolutamente urgentes, sempre aguardo alguns dias antes de implementá-las. É o período final de maturação.

Eu confiava no taco de Enéas e Tambasco. Por isso, utilizei essa artimanha. E o resultado foi muito bom. O plano de reestruturação gerou uma dieta rigorosa no modelo administrativo do GPA. A diretoria executiva encolheu de quinze para seis membros, incluindo o CEO, no caso, eu. No total, mais de trezentos executivos de diversos níveis deixaram a companhia.

Algumas demissões se revelaram particularmente dolorosas, pois atingiram gente com muito tempo de casa, como Maria Aparecida Fonseca, vice-presidente de RH. Cidinha, como era chamada, começou em funções operacionais em supermercados e, a partir daí, escreveu uma carreira de sucesso no GPA, chegando à diretoria executiva. Seu prestígio junto a Abilio cresceu no início dos anos 1990, quando ela participou ativamente do processo de recuperação do grupo — mergulhado, na ocasião, na mais grave crise financeira de sua história. Apesar de muito competente e ótima profissional, não tinha o perfil necessário para se integrar à nova fase do GPA. Eu mesmo comuniquei a ela seu desligamento. A surpresa foi grande. "Meu Deus, eu não acredito que estou sendo demitida", disse ela ao ser informada.

A perda do emprego gera um impacto gigantesco na vida de qualquer ser humano. Lee Iacocca, um mito no setor automotivo norte-americano nos anos 1970 e 1980, descreveu sua demissão da presidência da Ford como um "soco no estômago". Segundo ele, é como se o destino falasse: "Agora você vai descobrir o que alguém sente quando é chutado Monte Everest abaixo". Uma demissão traz insegurança financeira, nocauteia a autoestima e lança a pessoa no vazio. Por tabela, essa instabilidade propagada atinge sua família e até seu círculo de amigos. A descrição de Iacocca nada tem de dramática — é um retrato da realidade.

Ao longo dos anos, desenvolvi um roteiro para demissões, levando em conta o choque do momento e os efeitos nos meses seguintes, que em certos casos se tornam permanentes. Meu primeiro cuidado é destacar os principais atributos, as competências e as conquistas obtidas pelo profissional até então. Em resumo, o que a pessoa sabe fazer bem. Não minto nem exagero nenhum desses pontos. Seria uma irresponsabilidade, já que se trata do momento em que ela fará uma reavaliação profunda na carreira.

Também explico com clareza e objetividade o motivo de seu afastamento. Muitas vezes, não se trata de incompetência, e sim de inadequação do perfil às demandas da companhia naquele contexto. Em outras ocasiões, é a simples necessidade imperiosa de cortar custos rapidamente. Em geral, é a soma desses dois fatores.

É preciso também tomar cuidado com frases de consolo que não consolam nada. Por exemplo: "Veja bem, isso não é o fim do mundo". Não se deve lançar mão desse tipo de lugar-comum, porque aquele momento é, sim, o fim do mundo para quem recebe a notícia. Da mesma forma, convém evitar discursos como "a demissão pode ser o início de uma nova fase na carreira". Pode até ser verdade, mas soará como pouco-caso diante do choque. Certa vez, depois de participar de uma sessão de demissões conduzidas por mim, um executivo do BTG disse: "Claudio, se um dia me mandarem embora do banco, quero ser demitido por você...".

De qualquer maneira, ninguém sai da sala agradecendo pelo desligamento. No Pão de Açúcar, Cidinha Fonseca reagiu com incredulidade, conforme citado. Evidentemente, eu não figurava entre as pessoas mais estimadas por ela. Essa impressão se evaporou dois ou três meses depois, quando soube que ela ainda não havia recebido a verba rescisória devido a uma divergência sobre o valor. O assunto chegou à minha mesa e, para surpresa de todos (e dela também), determinei o pagamento do montante justo. Não foi um prêmio de consolação. Cidinha tinha razão no pleito, e seus cálculos estavam corretos. Desde então, acredito que minha imagem com ela melhorou bastante.

O GPA sofria de um mal generalizado nas empresas, sejam nacionais, ou multinacionais; familiares ou profissionalizadas; grandes, médias ou pequenas: os feudos. Cada área mirava exclusivamente em suas próprias metas, pouco interagia com as demais e cuidava de seu quintal sem se atentar para as consequências em todo o grupo. Não havia projetos compartilhados para ganhos de eficiência, por exemplo. O excesso de diretorias contribuía para isso, assim como o programa de bônus, que privilegiava o desempenho individual.

Quando enxugou pela metade o número de executivos no topo da pirâmide, o GPA também implantou um novo sistema de remuneração variável. O cálculo do bônus levaria em conta dois novos critérios, além da performance pessoal: o Ebitda e o aumento de vendas. Depois, sugeri a inclusão de outro ingrediente na fórmula — a valorização das ações. Assim, para embolsar a totalidade da bonificação anual, não bastava ao executivo dizer que "cumpri o meu papel". Era necessário que o GPA como um todo apresentasse resultados consistentes e atingisse as metas estabelecidas para o período, o que só seria obtido com o trabalho em equipe.

A pouca integração entre os diversos departamentos também alimentava a alta dos custos. Ao passar a limpo o relacionamento com fornecedores de serviços, encontramos mais de quarenta contratos de consultoria, muitos deles firmados com os mesmos escritórios, mas negociados separadamente. Pior: os resultados nem sempre cobriam os custos do trabalho. Outros contratos já finalizados continuavam sendo pagos todos os meses — o que é comum na administração pública. Cancelamos a maioria deles.

Por trás da desatenção com as despesas, havia uma cultura empresarial cuja principal fonte era Abilio Diniz. Como a grande maioria dos empreendedores, seus olhos miravam prioritariamente o crescimento, não a gestão. Nada o motivava tanto como a inauguração de uma loja ou a aquisição de uma rede de supermercados, sem importar o tamanho ou a saúde financeira. Era a cereja do bolo para ele — mas nisso eu também meti o bedelho.

O bom líder é conservador

No início de 2008, a economia global, inclusive a brasileira, vivia em estado de graça. Uma ou outra voz alertava para os riscos de um tal de *subprime* — créditos imobiliários de baixa qualidade nos Estados Unidos. Eles movimentavam uma montanha inimaginável de dinheiro e, se entrassem em colapso, lançariam o mundo numa crise sem precedentes. Poucos davam ouvidos para tais advertências.

Eu desconfiava da euforia com o crescimento econômico generalizado e contínuo. Já vira aquele filme repetidas vezes, como na bolha da internet, em 2001, e na desvalorização do real, em 1999. O final nunca era feliz. A crise viria, eu tinha certeza. Só não previ o tamanho. Mas antes que se aproximasse resolvi, assim como a formiga da fábula, estocar alimento para os tempos difíceis — e alimento, nesse caso, era dinheiro.

O pontapé inicial foi captar recursos financeiros no mercado (que apresentava muita liquidez e, por consequência, taxas de juros atraentes). Com o dinheiro, aumentamos o volume da dívida e alongamos os prazos de pagamento. Não parei por aí. Ao mesmo tempo, passei a tesoura na verba para investimentos, incluindo a abertura de novas lojas. Na primeira versão do orçamento para 2008, a previsão era de 1,4 bilhão de reais. Nos debates no comitê executivo, às vezes com a presença do Abilio, derrubei o montante para 733 milhões de reais, sob protestos de diversos membros. Como eu tinha a caneta na mão (ou seja, no dia a dia a decisão era minha), não utilizei nem mesmo a totalidade desse valor, e aplicamos apenas 503 milhões de reais. Vários projetos de novos pontos de venda foram engavetados.

Havia, na minha opinião, um erro de metodologia nesse departamento. Os técnicos do GPA escolhiam o local e faziam uma estimativa de desempenho da futura unidade com base nos resultados de uma loja já existente com características semelhantes, a chamada loja-espelho. Mas a avaliação final era parcial, pois muitas variáveis específicas de algumas regiões deixavam de ser consideradas. Ao perceber as lacunas, pedi estudos mais aprofundados e criteriosos antes de aprovar a construção de novos pontos de venda.

Meu objetivo central com essas iniciativas era guardar recursos para a crise que se avizinhava. Com essas medidas, reforcei o caixa da companhia em 500 milhões de reais, pulando de um saldo de 1,1 bilhão para 1,6 bilhão de reais ao longo de 2008. Enfrentei um fogo cerrado do conselho de administração, sobretudo de Abilio, tanto em função da redução nos investimentos como pelo aumento da dívida e alongamento dos prazos. "Para que pegar mais dinheiro no mercado? Não se justifica. Já tínhamos muito em caixa, e a dívida está sob controle", argumentou Abilio. "Prefiro mil vezes ter um custo no orçamento que posso absorver a um custo que não sei qual será", respondi.

Curiosamente, ele não se opôs à decisão de reduzir o número de lojas inauguradas, embora não concordasse. Em minha argumentação, citei os ensinamentos do americano Jim Collins, um guru da administração e estudioso das razões que garantem vida longa a um negócio. Em uma entrevista à revista *Exame*, Jim Collins afirmou: "Os melhores líderes que analisamos eram conservadores do ponto de vista financeiro. Pegos pelas crises, tinham reservas financeiras para resistir". Isso nada tem a ver com ausência de arrojo ou apetite para crescer, como o próprio Collins pondera na mesma entrevista:

> Mas é interessante notar que todos [os líderes] tinham metas grandes e audaciosas. É preciso ser muito disciplinado para atingir esse tipo de meta. Veja o caso da Microsoft. Bill Gates, seu fundador, sempre se manteve conservador com relação às finanças. Mas sua meta era colocar

um computador em cada mesa de trabalho. A maneira de atingir um objetivo audacioso é manter a disciplina sempre.

Havia um risco em injetar conservadorismo nos planos do grupo, como fiz. E se a crise não viesse? E se o mercado continuasse crescendo como nos anos anteriores? O GPA seria pego no contrapé, porque colocou o pé no freio enquanto os concorrentes continuaram acelerando. Não existe outro jeito. Certezas absolutas não existem, e a insegurança quanto ao futuro não pode paralisar os líderes. O jornalista americano Charles Duhigg, autor de diversos best-sellers sobre negócios, escreveu: "A capacidade de tomar boas decisões é atrelada a uma habilidade básica de antever o que acontece depois". A frase é do livro *Mais rápido e melhor*. Em outra passagem, Duhigg detalha seu raciocínio:

> Tomar boas decisões depende da previsão do futuro, mas essa previsão é uma ciência imprecisa e muitas vezes amedronta, porque nos obriga a encarar tudo o que não sabemos. Paradoxalmente, para aprender a tomar decisões melhores, é preciso se sentir à vontade com as dúvidas.

Eu me sentia à vontade com minhas dúvidas, e elas se dissiparam no dia 15 de setembro de 2008, quando o Lemann Brothers, um dos mais tradicionais bancos norte-americanos, quebrou sob o peso dos calotes do *subprime* e a economia mundial desabou como se fosse feita de pó. Muitos analistas previam que a depressão superaria a de 1929. Chegou perto. O desemprego e a recessão se alastraram rapidamente pelos Estados Unidos e pela Europa e atingiram também os países emergentes como o Brasil.

Assim que a notícia da quebra do Lemann chegou ao mercado, o pânico se espalhou. As bolsas despencaram, investidores engavetaram seus planos e os bancos passaram a chave no cofre. Não emprestavam nem uma caneta para ninguém. Nessa situação de secura de crédito, o GPA tinha mais de 1,5 bilhão de reais em caixa. Durante meses, havíamos mantido uma atitude defensiva, como já relatei. Então, era chegada a hora de atacar. Nossa posição de força permitiu negociações vantajosas com fornecedores, e repassamos os descontos obtidos para o preço dos produtos. Podíamos aumentar a margem de lucro e, assim, a disponibilidade de caixa, que já se encontrava num patamar excepcional.

Era hora de "roubar" participação de mercado dos concorrentes, sobretudo do Carrefour e do Walmart. Como não tinham o mesmo fôlego, não conseguiram nos acompanhar. Era a estratégia do tsunami: na calmaria, o mar recua; depois avança com vigor avassalador. Estabeleci que, durante um tempo, o Ebitda, o lucro antes dos impostos, não ultrapassaria 6,5%. Os ganhos superiores a esse patamar seriam transferidos para os preços ao consumidor. Embora os analistas não apreciassem a medida, ela se revelou acertada. Depois da fase de ganho de *market share*, as margens subiram, e o Ebtida seguiu trajetória semelhante.

Em 2009, quando a estratégia surtiu efeitos em sua totalidade, nossa fatia no setor supermercadista saltou quase 14%, índice muito superior ao de nossos competidores. Tempos depois, encontrei meu amigo Héctor Núñez, então presidente do Walmart no Brasil. "Puxa, você bagunçou e atrapalhou o mercado." Respondi: "Não atrapalhei, não. Eu simplesmente queria ser líder do mercado".

A compra do Ponto Frio

"O ano de 2009 certamente ficará marcado na trajetória do Grupo Pão de Açúcar como um ano de conquistas, que contribuíram para consolidar nossa posição de liderança como a maior empresa de varejo da América Latina."

Essa é a frase de abertura da Mensagem da Administração estampada no relatório anual referente a 2009, e reflete bem a incrível intensidade daquele período de doze meses. Estávamos capitalizados, graças à estratégia do tsunami, e aproveitamos o momento. Entre janeiro e dezembro daquele ano, o GPA comprou os 40% restantes do capital da rede de atacarejo Assaí, arrematou o controle do Ponto Frio e se associou às Casas Bahia para criar a Via Varejo.

A soma das receitas brutas de todas as empresas do grupo bateu em cerca de 38,5 bilhões de reais, contra 20,8 bilhões de reais do exercício anterior — ou seja, em um ano praticamente dobrou de tamanho. Foi também em 2009 que batemos o martelo sobre o nome de meu sucessor no comando executivo após minha saída, prevista em contrato para 31 de dezembro de 2010.

Tive participação direta em dois desses episódios. Por minha indicação, Enéas Pestana foi o escolhido para comandar o grupo. No caso da aquisição do Ponto Frio, as negociações começaram a partir de um amigo em comum que tenho com Manoel Amorim, presidente do Ponto Frio. Seu nome é Mark Essler, um consultor de empresas. Nascido na Alemanha, Mark mudou-se para o Brasil com cinco anos de idade, o que explica seu português fluente e sem sotaque.

O Ponto Frio pertencia a Lilly Safra, em função da herança recebida de seu segundo marido, Alfredo Monteverde, que se matou na década de 1960. Anos depois ela se casou com o banqueiro Edmond Safra, morto em 1999 num incêndio em seu apartamento provocado por um de seus empregados. Apontada como uma das mulheres mais ricas do mundo, a bilionária Lilly já não tinha interesse em manter o controle da rede de lojas por conta da sucessão de prejuízos registrados ano após ano.

No final dos anos 2000, as vendas de eletrodomésticos e móveis, principal negócio do Ponto Frio, davam saltos contínuos, graças à ascensão da chamada classe C. Os televisores de tela plana, por exemplo, haviam se tornado o objeto de desejo dos brasileiros dessa faixa de renda. As margens, porém, eram estreitas, e o nome do jogo passou a ser escala. Aí residia o verdadeiro valor do Ponto Frio, com suas 455 lojas e uma carteira de crédito ao consumidor de qualidade e pouca inadimplência.

Os bancos de investimentos não conseguiam mostrar esses benefícios aos possíveis interessados em arrematar o Ponto Frio e, por isso, fazia anos que a empresa de Lilly Safra permanecia com a placa "vende-se" sem que o negócio se concretizasse. Essa foi a avaliação passada por Manoel Amorim numa conversa com Mark. Ambos viam no GPA o grande candidato a abocanhar o Ponto Frio.

Afinal, o Extra Eletro, a marca do GPA especializada em eletrodomésticos, contava com apenas 47 unidades. A eventual aquisição daria ao grupo os músculos que faltavam na disputa com a líder absoluta do mercado, a Casas Bahia, dona de mais de quinhentos pontos de venda.

Mark me conhecia havia anos e tinha liberdade suficiente para abrir o jogo comigo. Segundo ele, um acordo amadurece "quando duas pessoas com mandato podem falar abertamente e buscar os pontos de sintonia entre as organizações que representam". É o que os americanos chamam de *meeting of the mind*, que se tornou, inclusive, uma expressão jurídica. Conversas francas minhas com Amorim nos levariam a esse ponto, apostava ele. Havia um ponto delicado. Nós éramos concorrentes diretos, e a troca de informações exigia alguns limites, confiança mútua e discrição máxima. Por isso, nosso primeiro encontro ocorreu na casa de Mark, e não em lugar público ou no escritório de uma das companhias.

Mark aparou arestas e funcionou, segundo suas próprias palavras, "como uma tia que aproxima um casal de jovens interessados um no outro". Quando surgia algum assunto mais delicado, eu falava com Mark, e ele transmitia a mensagem para o outro lado. Amorim também lançou mão desse expediente. Assim, a relação entre as partes não se desgastava.

Logo que recebi o primeiro telefonema de Mark, levei o assunto a Abilio. Ele adorou a notícia. Tempos antes, negociara diretamente com Lilly Safra em reuniões realizadas em Paris, mas as conversas não foram em frente. Dessa vez, afastada da linha de frente, Lilly indicou um parente para representá-la, um sujeito de difícil trato.

Algumas outras questões exigiram uma costura cuidadosa. A mais delicada dizia respeito ao portal de comércio eletrônico do Ponto Frio. Lançado pouco mais de um ano antes, encontrava-se em fase de amadurecimento e demonstrava grande potencial de crescimento. O controle acionário não pertencia em sua totalidade a Lilly, pois tratava-se de um negócio com outros sócios — entre eles Eduardo Chalita, o executivo que eu indicara para presidir a Americanas.com durante minha passagem pela Lojas Americanas.

O grupo de Chalita havia desenvolvido uma plataforma de e-commerce e negociou para colocá-la no ar com a marca Pontofrio.com.br. O acordo com o Ponto Frio se deu com uma troca de ações: eles receberam uma participação de 14% do Ponto Frio e entregaram 45% do capital do portal. Portanto, o envolvimento de Chalita e sua turma nas negociações entre GPA e Ponto Frio era obrigatório. Afinal, o portal do Ponto Frio já faturava 700 milhões de reais na época. À medida que o namoro evoluía, mais gente se integrava ao time: bancos de investimento, escritórios de advocacia, consultores etc. Por fim, em 7 de junho de 2009, um domingo, o GPA anunciou a compra do Ponto Frio por 852 milhões de reais. Com a conclusão do negócio, Manoel Amorim deixou o comando da rede, e para seu lugar foi nomeado Jorge Herzog, meu braço direito no curto período no Sendas.

A incorporação permitiu ainda um lance mais ousado para o GPA: a associação com as Casas Bahia. O flerte já ocorria havia algum tempo, mas sem maiores aproximações. Com o Ponto Frio, o poder de barganha do grupo no varejo de eletroeletrônicos aumentou bastante — o suficiente, aliás, para sustentar uma "conversa de iguais" com a família Klein, controladora das Casas Bahia. Por isso, em setembro de 2009, quando ainda começávamos a digerir o Ponto Frio, Abilio disse de maneira quase casual numa conversa com alguns executivos no salão que abrigava a diretoria executiva: "Acho que está na hora de ligar para o Michael Klein", referindo-se ao presidente das Casas Bahia e filho do fundador da empresa, Samuel Klein.

As negociações ganharam uma velocidade incomum para uma operação de tal dimensão e complexidade. Em dezembro de 2009, ele e Michael anunciaram em uma entrevista coletiva à imprensa a união das operações das duas companhias, formando uma terceira empresa, a Via Varejo. O GPA ficou com 51% das ações; os Klein, com 49%. Abilio vibrou com o fechamento do negócio, pois estava disposto a ceder muito mais. "Eu pagaria 1 bilhão a mais", disse-me ele.

A pressa cobraria um preço alto nos meses seguintes, quando os Klein foram aos tribunais para questionar diversos pontos do acordo assinado com o GPA, desencadeando uma batalha judicial que terminou em um novo acordo entre as partes. Atolado de trabalho em função da integração do Ponto Frio e do dia a dia do Pão de Açúcar, acompanhei à distância essa nova investida de Abilio. Além disso, tinha outra missão crucial para o futuro da organização: preparar o meu sucessor na presidência.

O desafio do general

No final de 2007, quando ainda estava à frente do Sendas, bati um papo informal com Enéas Pestana, vice-presidente financeiro do Grupo Pão de Açúcar. Ele parecia desanimado e confidenciou: "Sabe, Claudio, estou meio cansado, não vejo muita perspectiva nem possibilidade de crescer. Acho que meu ciclo aqui já acabou. Minha carreira no GPA chegou ao fim".

Embora o conhecesse havia poucos meses, já percebera que Enéas tinha um tremendo talento. Com menos de 45 anos, formado em ciências contábeis pela PUC de São Paulo, se revelara um craque na área financeira. Pouco mais de cinco anos antes, ingressara no GPA, e vinha fazendo um excelente trabalho, apresentando talento para muito mais. Por isso, respondi para ele: "Acho que não acabou, não. Aliás, acho que nem começou".

Ele não se mostrou muito convencido, e eu nada mais disse. A conversa aconteceu antes do convite de Abilio para que eu presidisse a companhia. Portanto, o vaticínio sobre a carreira de Enéas foi fruto de pura intuição. E acertei na mosca. Eu o considerava um dos melhores executivos financeiros que encontrara em minha carreira, com potencial para muito mais. Tanto que, quando assumi a presidência do grupo, o escalei, ao lado de Tambasco, para redesenhar a estrutura administrativa, com ótimos resultados, conforme comentei anteriormente.

Assim sendo, Enéas emergiu como candidato natural quando comecei a refletir sobre minha sucessão no GPA. Meu mandato terminaria em dezembro de 2010 e, segundo o contrato firmado com a empresa, eu deveria preparar o substituto. Foi um parto para emplacar o nome dele. Inicialmente Abílio resistiu. O comitê de pessoas, além de alguns executivos, também não aceitou bem a sugestão. E é assim que deve ser. Uma decisão de tal importância precisa ser muito amadurecida antes de vir a público. Enéas apresentava excelente desempenho em sua área de atuação, argumentaram eles, mas tinha dificuldades no relacionamento com as pessoas. Eu concordava e contrapunha com uma dose de humor: "Acho que ele tem um problema pessoal de relacionamento, mas nenhum ser humano é simpático por natureza, principalmente um financeiro".

Minha argumentação continuou nesse ritmo — a troca de comando só aconteceria dali a um ano ou mais, tempo suficiente para colocar em prática um plano de desenvolvimento e aprimoramento pessoal que o preparasse para o cargo de CEO. Por fim, acabei convencendo todos a tentar. Levei essas preocupações para o próprio Enéas, alertando que seu aperfeiçoamento dependia "mais da forma de se relacionar com pares e subordinados do que do conteúdo".

Além disso, instalado no topo da hierarquia, deveria olhar a empresa em todas suas dimensões, e não apenas do ponto de vista financeiro, sua especialidade. Isso vale para qualquer executivo de qualquer companhia em qualquer setor econômico. Eu exemplificava: um militar sempre está alocado em uma divisão, como infantaria, artilharia, cavalaria etc. Quando promovido a general, perde a insígnia específica de sua arma e se torna o comandante de todas elas.

A preparação de Enéas incluía sessões de *coaching* com especialistas em diversas áreas, imersão na operação de lojas e até sessões de terapia sugeridas por Abilio. Tempos depois, foi promovido a COO (Chief Operating Officer, em inglês), uma espécie de diretor-geral, o segundo na hierarquia e subordinado diretamente a mim. Assim, ele poderia recrutar seu substituto na vice-presidência financeira. Havia tempo para esse planejamento cuidadoso. Como meu mandato se estenderia até dezembro de 2010, o "MBA para presidência do Enéas", iniciado no primeiro trimestre de 2009, poderia durar quase dois anos. Mas uma tragédia antecipariam tudo.

Choque indescritível

Os diretores executivos do GPA trabalhavam num enorme salão retangular sem divisórias internas, com mesas individuais em ambos os lados que, perfiladas, formavam um largo corredor da porta de entrada às salas de reuniões envidraçadas no fundo, os únicos espaços fechados no local. Eu estava lá no dia 27 de janeiro de 2010, quando um telefonema do meu filho me avisou que Maria Leonor, minha esposa, acabara de morrer de forma trágica. Na manhã daquele dia, ela embarcara no aeroporto de Sorocaba num bimotor da minha família rumo à nossa fazenda em Goiás. Minutos depois de decolar, a aeronave sofreu uma pane e caiu no município vizinho de Iperó, matando também o piloto. Ao que tudo indica, a principal causa foi falta de combustível.

O choque foi indescritível, e abalou fortemente meu estado emocional nos meses seguintes. Certa vez, acordei no meio da noite e vi minha filha no quarto de hóspedes dormindo com minhas duas netas. Sua casa encontrava-se em reforma, e ela passou uma temporada de algumas semanas em meu apartamento. Sonolento, não me lembrei disso naquela madrugada e perguntei: "Filha, o que você está fazendo aqui? Eu não estou achando a sua mãe".

"Pai, ela morreu..."

"Como morreu?"

Só então a ficha caiu. A confusão era resultado do chamado estresse pós-traumático, uma condição provocada por situações de impacto muito profundo, como foi o caso da morte de Leonor depois de quase meio século de casamento. Felizmente, não hesitei em procurar acompanhamento médico, e os efeitos desapareceram. As consequências também se estenderam a minha vida profissional. Desanimado, resolvi antecipar minha despedida do Grupo Pão de Açúcar. Abilio não se conformou: "Você fica no GPA como presidente, nem precisa vir ao escritório, mas recebe seus honorários normalmente".

"Abílio, não dá", respondi. "Eu não me sinto bem fazendo isso."

Para não causar nenhum tipo de mal-entendido, combinamos minha permanência até o final de março, dando tempo suficiente para anunciar a decisão internamente e ao mercado. Como previsto, Enéas assumiu o bastão. Abilio demonstrou consideração ao me pagar o bônus integral referente ao ano de 2010, embora eu não tivesse trabalhado sequer três meses naquele ano. "Você já contribuiu com os resultados de 2010 mesmo sem estar presente durante todo o exercício", disse ele.

Tempos depois, no início de 2013, Abilio me pediu uma nova contribuição. Os conflitos entre ele e seus sócios no GPA, os franceses do grupo Casino, atingiram seu ponto máximo, e o conselho de administração era um dos campos de batalha mais sangrentos da disputa. Para evitar o desgaste de dois de seus representantes no colegiado, a esposa Geyze e o filho João Paulo, ele decidiu substituí-los por dois profissionais: Luiz Fernando Figueiredo, ex-diretor do Banco Central e sócio da Mauá Investimentos, e eu. Aceitei e passei a enfrentar uma das pessoas mais desagradáveis que conheci, o francês Arnaud Strasser, representante do Casino.

Seu papel era desestabilizar o ambiente — e com sucesso. Abilio admitia que "tinha vontade de matar o cara", como declarou à jornalista Cristiane Correa no livro *Abilio: Determinado, ambicioso, polêmico*. Meu ímpeto era o mesmo. Strasser fazia tudo para me tirar do sério, conforme relatei a Cristiane no livro:

> Em uma das reuniões, ele me perguntou a mesma coisa várias vezes, como se não entendesse a resposta. Como as reuniões eram em português, com tradutores para os estrangeiros, ele se aproveitou disso. Ficava repetindo tudo como se houvesse um problema de tradução. Nesse dia discutimos tanto que no final eu disse: "O seu inglês pelo jeito não vale nada. Você não está entendendo o que eu falei".

Depois de quatro meses e duas reuniões, pedi meu afastamento do conselho de administração em uma longa carta destinada a Abilio. Lembrei que só tinha aceitado o convite para "atuar como conselheiro com ampla liberdade e independência, atuando exclusivamente com vistas aos melhores interesses do GPA e em um clima de construção". Neste ponto, havia uma discreta crítica ao próprio

Abilio, pois ele esperava que eu assumisse a mesma atitude agressiva de Strasser, o que não é de meu feitio. Mas na carta centrei fogo mesmo no comportamento irascível do francês:

> Eu não poderia encerrar esta carta sem registrar o mau uso que o sr. Strasser busca fazer deste Conselho, quando ele, com fins reconhecidamente outros, faz palco de seus interesses próprios, totalmente estranhos aos da Companhia, eliminando qualquer oportunidade para que eu possa desenvolver adequadamente a função para a qual fui eleito e ajudar no bom desenvolvimento desta empresa que conheço tão profundamente e que sempre me foi tão cara. Lamento profundamente pelo Conselho de Administração e pelos acionistas minoritários do CBD.
>
> Nos meus 51 anos de atividade profissional, nunca participei de reuniões tão desagradáveis como aquelas do Colegiado desta Companhia, bem como de seus diversos Comitês, haja vista a forma grosseira, deselegante, desrespeitosa, mal-educada e não contributiva do sr. Strasser.

Minha saída do conselho não agradou Abilio, mas ele aceitou minha argumentação. Eu contava também o desempenho do GPA durante o período em que ocupei a presidência executiva do grupo. As receitas anuais saltaram de 16,4 bilhões de reais em 2006 para 26,2 bilhões de reais em 2009 — sem incluir nessa conta o faturamento das Casas Bahia, que fazia o montante superar os 38 bilhões de reais. No mesmo período, o lucro líquido disparou 169%, para 592 milhões de reais, enquanto o Ebitda batia em 1,5 bilhão de reais, partindo de um patamar de 1,08 bilhão. Isso tudo sem abusar do endividamento, já que a relação entre dívida líquida e Ebitda caiu de 0,72 vezes para 0,47 vezes.

O indicador que mais saltava aos olhos dos investidores era o valor de mercado, que praticamente dobrou, de 8,52 bilhões para 16,57 bilhões de reais. Quando entrei no GPA, o preço da ação estava em 36 reais; quando saí, ultrapassava 66 reais. Não foi à toa que em seu livro *Novos caminhos, novas escolhas*, Abilio escreveu: "Galeazzi foi um excelente presidente".

CAPÍTULO 12

Vulcabras Azaleia

Em 2012, eu já havia trabalhado diretamente com empresários dos mais diversos perfis — ousados ou cautelosos, cerebrais ou emotivos, explosivos ou serenos. Apesar dessa experiência, não deixei de me surpreender positivamente com Pedro Grendene, um dos empresários mais éticos e íntegros com quem convivi. Nunca encontrei um homem de negócios com tal comprometimento em relação ao seu empreendimento, no caso a Vulcabras Azaleia, uma das principais fabricantes de calçados do país.

Grendene me procurou no final do primeiro semestre de 2012, quando sua empresa vivia uma crise sem precedentes, ameaçada por uma dívida superior a 1 bilhão de reais. Grendene já havia colocado algumas centenas de milhões de reais de seu próprio bolso para reforçar o caixa da empresa, e desembolsaria ainda mais nos anos seguintes, num claro e raríssimo sinal de comprometimento de um empresário com seu negócio — e foi isso que me surpreendeu. Para ele, não existe a velha máxima "empresa pobre, empresário rico". No total, nos anos de crise mais aguda, Grendene injetou quase 595 milhões de reais na Vulcabras.

O quadro se deteriorava rapidamente quando, em agosto de 2012, Pedro contratou a Galeazzi & Associados e fez uma solicitação: queria que eu coordenasse pessoalmente o projeto pelo menos por um período. Assim, no primeiro dia de agosto de 2012, passei a comparecer todos os dias à sede da empresa, localizada em Jundiaí, cidade não muito distante da Grande São Paulo.

Os problemas financeiros do grupo tinham diversas origens, e convergiram no início dos anos 2010, gerando aquilo que se chama de "tempestade perfeita". Primeiro, a Vulcabras ainda carregava o passivo da aquisição da empresa gaúcha Azaleia, marca reconhecida no mercado de calçados femininos. Além disso, enfrentava grandes dificuldades em função do câmbio valorizado, o que favorecia as importações e a ascensão de uma concorrência não habitual.

Atraídas pela proximidade dos dois principais eventos do calendário esportivo global, a Copa do Mundo de 2014 e os Jogos Olímpicos de 2016, as grandes marcas de material esportivo — como Nike, Adidas e Puma — vislumbraram a oportunidade de reforçar sua presença em um país que vivia um momento de euforia econômica e enfim parecia ter encontrado o rumo para um futuro brilhante. É bom lembrar, por exemplo, que em 2010 o PIB do Brasil tinha se expandido 7,5%. Além disso, as atenções de consumidores de todo o planeta estariam voltadas para os dois eventos, e as empresas do setor não poderiam sequer considerar a ausência na festa. Assim, nos anos que antecederam os eventos, despejaram seus recursos e produtos no mercado brasileiro. Grandes redes varejistas adotaram atitude semelhante e rechearam suas gôndolas com tênis, camisetas e bermudas com marcas próprias ou de fabricantes desconhecidos. Todo esse movimento atingiu diretamente a Vulcabras, pois a parcela mais significativa de seu faturamento vinha da venda de tênis das marcas Olympikus, de sua propriedade, e Reebok, que comercializava no Brasil sob licença.

Os efeitos do repentino aumento da concorrência logo apareceram no balanço da Vulcabras. Depois de um lucro de 211 milhões de reais em 2010, amargou prejuízos de 316 milhões de reais no ano seguinte e 316 milhões de reais em 2012. O tombo do faturamento no mesmo período foi de dimensões semelhantes — de 2,35 bilhões de reais para 1,86 bilhão e depois 1,77 bilhão de reais.

Nosso diagnóstico revelou ainda que a Vulcabras padecia de um mal comum a companhias industriais, como eu havia presenciado anteriormente na Cecrisa e na Vila Romana, por exemplo, e iria encontrar tempos depois na BRF, de forma ainda mais dramática: o foco na produção e não no mercado. Fabricavam-se modelos de calçados e tênis que nem sempre tinham afinidade com o gosto dos consumidores. Resultado: os estoques, em alguns casos, acumulavam o equivalente a dois meses de vendas. Era dinheiro parado num país com juros altíssimos.

Ao longo do tempo, a Vulcabras havia criado um sistema de produção peculiar. A empresa contava com três grandes fábricas, todas localizadas no Nordeste: em Itapetinga, na Bahia; Frei Paulo, em Sergipe; e Horizonte, no Ceará. As duas primeiras unidades (Itapetinga e Frei Paulo) eram rodeadas de fábricas menores, responsáveis pelo fornecimento de partes componentes dos sapatos e por diversas etapas de produção. Só em Itapetinga, eram doze fábricas-satélites num raio de setenta quilômetros. Em Frei Paulo, outras três.

Esse arranjo tornava o trânsito de material entre todas as unidades intenso, complexo e caro. Além disso, havia duplicidade de funções. Afinal, cada fábrica, fosse qual fosse o tamanho, tinha uma organização administrativa própria. Na avaliação da Galeazzi & Associados, sem mexer profundamente nessa estrutura, a empresa não sairia da situação em que se encontrava. E nossa proposta incluía medidas radicais. Todas as doze fábricas-satélites do complexo baiano, onde trabalhavam 4 mil pessoas, seriam fechadas, e as operações, transferidas para a matriz em Itapetinga. Para completar, o encerramento das atividades aconteceria de forma simultânea, de uma só vez, sem gradualismo.

A sugestão caiu como uma bomba dentro da empresa e, como era de esperar, suscitou resistências. Logo apareceram propostas para mitigar o choque. Por que não fazemos aos poucos, em etapas, para que o choque não seja tão intenso? Eu replicava: "É melhor cortar o rabo do cachorro de uma só vez do que cortá-lo em diversos pedaços. Assim, a dor é uma só".

A preocupação dos executivos era compreensível. O impacto na região de Itapetinga e na economia do estado da Bahia em geral seria imenso. Afinal, eram 4 mil empregos diretos, sem contar o efeito sobre os familiares dos funcionários e os prestadores de serviços para aquelas doze fábricas. Era evidente que as consequências sociais nos incomodavam, porém a Vulcabras não podia esperar mais, sob o risco de insolvência. Em um de seus livros, o best-seller *O poder do hábito*, o jornalista norte-americano Charles Duhigg escreve o seguinte: "Bons líderes aproveitam crises para reformular hábitos organizacionais". Alguns parágrafos depois, citando Rahm Emanuel, ex-chefe de gabinete de Barack Obama, o autor reforça esse conceito: "Nunca se deve desperdiçar uma crise séria. Essa crise oferece a oportunidade de fazermos coisas que não era possível fazer antes".

Aí está um resumo de nossa visão sobre as dificuldades de uma empresa, em particular da Vulcabras. Com a crise, abria-se uma oportunidade para reorganizar a empresa, eliminar ineficiências, enxugar custos e, assim, salvá-la de um problema maior. Apesar de nossa convicção, uma pergunta não queria calar: como levar adiante uma mudança de tamanha profundidade e intensidade sem provocar uma reação contrária por parte de funcionários, sindicatos e autoridades? Encontramos as respostas e, com elas, montamos um dos mais bem-sucedidos planos de reestruturação de minha carreira.

E o BNDES disse não

Quebramos a cabeça planejando o fechamento das fábricas e logo percebemos que os mais importantes ingredientes para o sucesso da operação eram a comunicação e a transparência. Pedro Grendene contatou os prefeitos das cidades da região de Itapetinga e parlamentares com atuação naquelas localidades, e esteve com o governador do estado, Jacques Wagner. Também foram organizados encontros de esclarecimento com o Ministério Público e com a secretaria do trabalho da Bahia, além dos sindicatos de trabalhadores.

Em cada um desses encontros expúnhamos a delicada situação financeira da Vulcabras. Foram negociações duríssimas, conduzidas com sucesso apenas em função da transparência e do pacote de compensações oferecido pela companhia e desenhado em conjunto com dois especialistas em relações do trabalho, José Pastore e Hélio Zylberstajn.

Todos os trabalhadores da unidade poderiam optar por continuar trabalhando na fábrica matriz, e a empresa garantiria o transporte diário para aqueles que permanecessem. Os demitidos receberiam cesta básica durante um ano, atendimento médico no ambulatório da empresa pelo mesmo período e uma indenização extra equivalente a um ou dois salários mensais — além, é óbvio, de todos os direitos legais, como 13º salário, multa de 40% sobre o FGTS, liberação do Fundo de Garantia, aviso prévio etc.

Também entrava na conta o seguro desemprego, concedido por até cinco meses a partir da data do desligamento. Dessa forma, alguns trabalhadores receberam indenizações totais equivalentes a até dezoito salários mensais. Não houve manifestações, protestos em frente às fábricas e sequer ameaças de greve. É verdade que a conjuntura econômica ajudou, pois em 2012 o país ainda apresentava bons índices de crescimento. No total, a reestruturação da Vulcabras eliminou naquele período 4500 postos de trabalho.

Ao mesmo tempo, a empresa tomou outras providências para se adequar à realidade do mercado. Roupas esportivas com as marcas Reebok e Olympikus deixaram de ser confeccionadas em instalações próprias e passaram a ser encomendadas de empresas têxteis, o que barateou as peças. A produção de linhas de calçados mais simples, principais vítimas das importações chinesas, foi abandonada, dando espaço para modelos mais elaborados. A empresa também abriu mão de patrocínios a clubes de futebol e outros esportes, como o voleibol.

A reestruturação se mostrou crucial para estancar a sangria nas contas da Vulcabras. Mas os problemas financeiros, decorrentes sobretudo do endividamento, exigiam novos aportes de capital. Foi com essa credencial que Grendene e eu, acompanhados de alguns assessores, batemos à porta do BNDES a fim de requisitar apoio no processo de recuperação da empresa. Havia dois caminhos. O primeiro era transformar parte de uma dívida já existente com o BNDES em participação acionária do banco na Vulcabras. Outra opção era contrair um novo empréstimo que ajudasse no saneamento financeiro da companhia — 300 milhões de reais a serem pagos em sete anos.

Tínhamos bons argumentos. A Vulcabras era uma empresa nacional, tradicional em seu ramo de atuação e reconhecida pela seriedade e a qualidade dos produtos. Pelo menos dois governadores de peso — Cid Gomes, do Ceará, e Jacques Wagner, da Bahia — atestavam a importância da companhia para as economias locais. A Vulcabras também era uma incontestável boa pagadora, pois o empréstimo já contraído (ao qual me referi acima) estava sendo pago rigorosamente em dia. E, se a nova linha de financiamento fosse concedida, Grendene se comprometia a fazer um aporte imediato de mais 300 milhões de reais do próprio bolso para dar mais musculatura financeira à companhia.

Preparamos estudos de viabilidade e apresentações sobre o plano de recuperação para entregar aos representantes do banco. Foram três reuniões, uma delas com o próprio presidente da instituição, Luciano Coutinho; as outras duas com equipes técnicas. Hoje, passados alguns anos, Grendene e eu compartilhamos a mesma percepção. O material que entregamos com informações da Vulcabras sequer foi lido. Só isso explica a resposta protocolar que a empresa recebeu meses depois de seu pleito. Segundo o BNDES, não havia nenhuma linha de crédito dentro do banco na qual o caso da empresa se encaixasse. E o dinheiro não saiu.

Grendene colocou mais recursos próprios na companhia, aprofundou o plano de reorganização, vendeu ativos importantes (como a operação na Argentina) e, por fim, promoveu um lançamento de ações no mercado em 2017. O endividamento foi equacionado, e o lucro reapareceu de forma consistente no balanço — em 2017 atingiu quase 190 milhões de reais. A essa altura, eu já estava distante da gestão da Vulcabras. Minha participação mais ativa ocorreu ao longo do segundo semestre de 2012. A Galeazzi & Associados continuou seu trabalho por mais dois anos.

A colaboração de nossa consultoria com o cliente foi tão intensa que, certo dia, pouco antes de embarcar em um avião, recebi um telefonema de Grendene. Meio sem jeito, ele disse que pensara em convidar um profissional da Galeazzi & Associados, Leonardo Horta, para assumir a presidência executiva da Vulcabras. "O que você acha?", perguntou ele. "Leonardo é um dos nossos bons quadros", respondi, "mas a mudança é uma excelente oportunidade profissional para ele, e ajudará a Vulcabras em seu processo de recuperação. Não vou me opor."

A ética demonstrada por Grendene nessa abordagem reforçou a imagem que havia formado sobre ele. Por outro lado, aumentou meu inconformismo com o desfecho do caso envolvendo o BNDES. Como foi possível um banco de fomento público negar apoio para uma empresa brasileira, séria e tradicional, enquanto despejava bilhões em grupos empresariais, inclusive de outros países, todos escolhidos a dedo, sabe-se lá com quais critérios? Grendene usou parte de sua fortuna particular para salvar a companhia e demonstrar seu apego ao negócio. Quantos outros empresários apoiados pelo BNDES fizeram o mesmo? São perguntas para as quais ainda procuro respostas.

CAPÍTULO 13

BRF

Sempre defendi que, com o devido senso de urgência, empresas podem sair de uma crise muito mais rápido do que se imagina. Na Artex e no Sendas, percorremos a distância entre prejuízo e lucro em menos de seis meses. Em outras grandes companhias, como o Pão de Açúcar e Americanas, superamos o cenário de estagnação em menos de um ano. Logo depois de assumir a presidência da BRF, em agosto de 2013, um investidor me perguntou: "Claudio, quanto tempo será necessário para que os resultados apareçam? Dois anos é um prazo razoável?". Eu respondi: "Olha, se em oito meses eu não apresentar sinais concretos de um início de reversão na situação, pode me mandar embora".

A BRF não era brincadeira de criança. Tratava-se de um colosso industrial com cinquenta fábricas, mais de 115 mil funcionários e marcas de grande reputação junto aos consumidores, como Sadia, Perdigão, Batavo, Elegê, entre outras. Boa parte de seu faturamento líquido, de 25,9 bilhões de reais em 2012, vinha do exterior. Os números vistosos encobriam, contudo, uma situação de estagnação, com resultados aquém do que se esperava de um grupo de tal porte. A lucratividade não superava 3%, e o Ebitda se situava na casa dos 2,28 bilhões de reais, um número modesto para o porte do negócio.

Além disso, a empresa sentia o avanço de concorrentes como a Marfrig e a JBS.

Esse desempenho causava profundo incômodo num conjunto de acionistas que, em seu somatório, detinha a maioria no conselho de administração da BRF. À frente do grupo estava a Tarpon, gestora de recursos financeiros conhecida pelo estilo "mão na massa", com investimentos bem-sucedidos em empresas como a calçadista Arezzo. Junto com a Tarpon, fundos de pensão liderados pela Previ, dos funcionários do Banco do Brasil, tinham participação relevante no capital da companhia. Esses acionistas pressionavam por mudanças, sem muito sucesso. Até que sua história se cruzou com a de Abilio Diniz.

No primeiro semestre de 2013, Abilio negociava um acordo com o Casino para encerrar uma briga desgastante para todos nós. Nessa mesma época, o fundador da Tarpon, José Carlos Magalhães, conhecido como Zeca, apresentou a seguinte ideia: Abilio compraria ações da BRF e, com apoio da Tarpon e dos fundos de pensão, seria o novo presidente do conselho de administração da companhia. Abilio topou e, meses depois, assumiu o posto.

Dado nosso histórico de parceria, era inevitável que eu acabasse me envolvendo no projeto. Num primeiro momento, a Galeazzi & Associados foi contratada para fazer um minucioso diagnóstico da situação da BRF, avaliando todo o corpo de executivos, identificando custos passíveis de cortes e estratégias que deveriam ser reavaliadas. Em três meses, entregamos o relatório. No período, apesar de muita especulação, o conselho ainda não havia chegado a um consenso sobre o nome que deveria ser apontado como novo CEO da companhia. Tínhamos acabado de entregar o diagnóstico, quando Abilio e Zeca me convidaram para executar, como CEO, aquilo que a Galeazzi & Associados havia proposto.

Lá fui eu.

A raiz dos problemas da BRF estava dentro de casa e tinha origem na própria fusão que a criara, em maio de 2009. Na ocasião, a Sadia se encontrava à beira da insolvência em virtude da aposta nos chamados derivativos, aplicações financeiras de alto risco que podem gerar ganhos elevadíssimos ou perdas desastrosas. A Sadia ficou no segundo grupo. Mergulhada em dificuldades financeiras insanáveis, a saída foi acertar uma união com a Perdigão, sua adversária ao longo de décadas.

A rivalidade, porém, não se dissipou quando o casamento foi celebrado, e internamente a divisão entre o "pessoal da Sadia" e o "pessoal da Perdigão" se manteve. Esse muro invisível — mas real — paralisava a companhia e provocava distorções graves na condução dos negócios. Uma das mais marcantes era a predominância da área industrial sobre os demais setores da companhia, que tornava a empresa ineficiente e pouco antenada às reais demandas do consumidor.

Assim que a empresa me apresentou como novo CEO, em agosto de 2013, tratei de transmitir ao mercado e às equipes internas o tal senso de urgência que deveria imperar dali em diante. Numa entrevista para o jornal *O Estado de S. Paulo*, passei as mensagens que resumem minha visão de uma boa gestão voltada para a obtenção de resultados rapidamente.

Mudar o foco de forma radical: "Agora, a BRF vai ter de se repensar e abandonar o DNA industrial. Dentro do novo modelo, a indústria passa a ser o apoio à área comercial".

Pensar na companhia, e não apenas em sua especialidade: "Os executivos conhecem muito bem seus feudos, suas áreas, mas geralmente não a empresa como um todo".

Comprometimento total com o negócio: "As pessoas têm de estar comprometidas com as grandes prioridades. Aqui tem um plantel gerencial com potencial grande a ser desenvolvido. Toda vez que eu entro em uma empresa eu aviso: 'Vocês vão trabalhar como nunca trabalharam antes'".

Altas expectativas

Minha nomeação foi acompanhada por um salto repentino no preço das ações — uma euforia desconectada da realidade, conforme alertei aos acionistas. "Não há motivos para uma alta como essa. Os fundamentos da companhia não justificam, e o valor vai cair antes de voltar a subir", preveni.

Mas, no fundo, eu sabia que os resultados podiam vir rápido. Minha experiência mostra que, implantando um modelo de gestão com uma liderança que dá liberdade, define claras metas, delega e cobra os resultados, a coisa anda de forma acelerada. É minha filosofia de gestão. Muitas vezes, porém, a abertura é vista como sinal verde a certa permissividade, algo como "agora cada um pode fazer o que quiser". Mas a liberdade sempre deve vir acompanhada da responsabilidade. Quando tal ameaça é percebida, torna-se necessário dar uma resposta imediata, dura e exemplar.

Assim fiz em pelo menos duas ocasiões na BRF. Uma delas ocorreu com um dos diretores da organização. Eu já havia entrado em rota de colisão com ele no Grupo Pão de Açúcar, onde trabalhamos juntos. Na ocasião, ele pleiteou uma promoção para uma vice-presidência e uma nomeação para o comitê executivo, a mais alta instância de decisão da empresa. O assunto foi parar numa reunião de diretoria. Esse tipo de reivindicação é legítimo, pois o profissional está procurando a melhor posição possível em sua carreira — mesmo que o desempenho não a justifique, como era seu caso.

O pior deslize, porém, foi outro. Ele avisou que, se não fosse atendido, deixaria a empresa. Os demais diretores quase cederam, mas elevei o tom. Disse que não aceitava ameaças do tipo "ou isso ou aquilo". Ele que pegasse o boné e buscasse uma colocação em outra empresa. Presente na reunião, Abilio não me desautorizou, embora simpatizasse com a ideia da promoção. Resultado: o executivo pediu demissão do GPA.

Por conta desses vaivéns do mercado, nos encontramos novamente na BRF, onde ele chegara pouco antes de mim. E a história se repetiu. Abilio queria promovê-lo, e eu não concordei.

"Abilio, deixa eu pensar e voltamos depois ao assunto..."

"Não. Hoje é sexta-feira e quero uma resposta na segunda-feira", respondeu ele.

"Pois eu dou a resposta já. Não vou promovê-lo."

Abilio levantou-se, caminhou até onde eu estava e me deu um abraço. Era um gesto de conciliação, pois havíamos chegado a um impasse. Também demonstrava sua admiração pela defesa bem clara e direta de minha posição. As manifestações de respeito e amizade entre nós eram recorrentes, incluindo trocas de beijos na face. Naquela oportunidade, ele compreendeu que eu não cederia a quem tentasse me colocar contra a parede. Liderança implica ouvir argumentos e manter o diálogo mesmo diante de discordâncias. Mas não deve permitir afrontas em circunstância nenhuma.

Houve outro episódio ainda mais surpreendente. Durante a reestruturação da operação internacional, decidimos promover um profissional da área financeira para a presidência da subsidiária argentina, uma posição estratégica para os negócios da companhia. Executivo muito competente, ele também era uma das minhas opções para me suceder na presidência do grupo, e o estágio no país vizinho, se bem-sucedido, o colocaria como um candidato com chances reais de assumir o posto máximo da BRF. Eu o chamei para anunciar a boa-nova. Ele aceitou prontamente, mas com uma condição: "Eu escolho a quem me reportar na estrutura".

"Como assim?", indaguei. A estrutura, expliquei, existia para que a operação funcionasse da forma mais fluida possível, e não para atender os desejos deste ou daquele executivo. Ele queria se subordinar a mim, mas essa não era a hierarquia. A BRF argentina, assim como todas as operações no exterior, se reportava a Pedro Faria, chefe da área internacional. Além do mais, o diretor considerava que tinha apoio de alguns membros do conselho, daí a confiança para fazer tal exigência. A conversa se estendeu, e ele puxou demais a corda. Resumindo: acabou demitido. Ou seja, entrou em minha sala para receber uma promoção à presidência da BRF argentina — o que o tornaria um forte candidato a CEO global da BRF —, e saiu de lá sem emprego.

Esses contratempos não abalam minha crença numa estrutura administrativa enxuta, com pouca gente reportando à presidência e dotados de bastante autonomia. Caso contrário, não é possível revitalizar uma organização em crise, o que exige celeridade, atitude imediatista e ações cirúrgicas.

Por isso, dei o pontapé inicial no processo de virada na BRF atacando as distorções mais visíveis. A duplicidade de funções, por exemplo. Três anos depois da fusão, ainda existiam duas áreas ou dois departamentos originários de cada uma das empresas realizando o mesmo tipo de tarefa. Isso era mais comum na esfera administrativa, e menos presente nas unidades fabris. Com a eliminação dos excessos, mais de 1300 funcionários foram dispensados. Pelos mesmos motivos, o nível executivo passou por um enxugamento, com o corte de quarenta vagas na diretoria e nas gerências de primeira linha.

Ao mesmo tempo, a empresa mergulhou numa reflexão sobre sua vocação. Em que somos realmente bons? O que nos diferencia da concorrência? Não era preciso ir muito longe ou se inspirar em outras organizações para encontrar as respostas. A própria história da Sadia e a da Perdigão indicavam o caminho. Assim como as duas empresas que a geraram, a BRF era — e continua sendo — uma fornecedora de proteína animal com produtos de valor agregado, e não só de commodities no setor de carnes.

Antes do final de 2014 — ou seja, menos de seis meses depois de eu assumir a presidência —, essa definição já levara a dois movimentos importantes. Um deles foi transferir a área de abate de bois para o Minerva, um dos principais frigoríficos do país, em um negócio que envolveu troca de ações entre os dois grupos. A negociação foi conduzida pela Tarpon, e a parte operacional da transferência, pela equipe de executivos da BRF.

Tempos depois, passamos adiante as operações de lácteos. Embora tivesse duas marcas poderosas, Batavo e Elegê, a rentabilidade era baixa, e a presença nesse ramo de negócios desviava a atenção de nossa atividade principal: a proteína animal. A Lactalis, o segundo maior produtor de leite do mundo, desembolsou 1,8 bilhão de reais por esses ativos. A venda só se viabilizou devido à contribuição decisiva da Galeazzi & Associados, sob a liderança do sócio Claudio Santos. Ele conduziu o processo de reestruturação na área de lácteos, racionalizando custos e elevando a produtividade. Por fim, participou das negociações com a Lactalis. Ao mesmo tempo, passamos um pente-fino na linha de produtos de todo o grupo BRF. Aqueles com margem de lucro reduzida ou negativa, cerca de 35% do total, saíram do portfólio ou passaram por uma repaginada para se tornar mais atraentes aos olhos dos consumidores.

No front externo, também adotamos estratégias arrojadas, sobretudo no Oriente Médio, um dos maiores mercados de carne de frango do mundo. Até então, a empresa não utilizava aquele que consistia em seu principal ativo por lá — o prestígio da marca Sadia. Nos países da região, era sinônimo de carne de frango, assim como no Brasil Gillete significa lâmina de barbear e Maizena denomina o amido de milho.

Apesar da posição privilegiada no mercado, a BRF volta e meia se via envolvida numa guerra de preços promovida por marcas de menor expressão no Oriente Médio. Ou seja, íamos a reboque da decisão de concorrentes menores. Era um contrassenso, algo como "a banana comendo o macaco", como diz uma frase popular.

A liderança de uma empresa não se manifesta apenas em sua participação de mercado. Cabe a ela, com a força de sua presença, estabelecer preços, padrões de conduta, inovação — enfim, "puxar" o setor como um todo para a direção que mais lhe convém. É claro que há outros aspectos que influenciam a linha de ação de uma companhia — como as iniciativas dos concorrentes, a conjuntura econômica, o estado de ânimo dos consumidores, entre outros —, mas ela deve se colocar à frente desse processo e agir como a locomotiva da composição.

Foi a atitude tomada pela BRF, com uma estratégia brilhante proposta por Pedro Faria. A empresa reduziu a produção, e por consequência as exportações de frango, em quase 250 mil toneladas para mercados estratégicos, sobretudo do Oriente Médio. Com isso, a oferta do produto diminuiu fortemente e, por tabela, os preços subiram. A estratégia não afetou nosso volume de vendas, pois os clientes aceitaram pagar mais por um produto em que confiavam.

Quem se viu em maus lençóis foram os concorrentes, que precisavam de seis a oito meses para colocar mais produtos no mercado e, assim, ocupar o espaço deixado pela BRF. A queda nas exportações gerou uma pequena capacidade ociosa — ou seja, combinamos o aumento de receita com o corte de custos. Fundamentais para definir o foco da empresa e melhorar a eficiência da operação, essas medidas se constituíram, por outro lado, em um preâmbulo daquele que seria o lance mais ousado de minha passagem pela BRF e um dos mais arriscados de minha carreira, um projeto que atendia pelo sugestivo nome de Plant Storm, ou Tempestade na Fábrica.

A tempestade

No dia 9 de fevereiro de 2014, um domingo, às 8h32, despachei o seguinte e-mail para dois executivos na BRF, Rodrigo Vieira e Hélio Rubens — o primeiro responsável por desenvolvimento organizacional; o segundo, da área industrial:

> Gente, a decisão já está tomada de que vamos em frente, mas não consegui dormir, pois, considerando o número de unidades espalhadas, estou muito preocupado com o *roll-out* [continuidade] da área industrial, ou seja, como e qual a sequência do cascateamento dos diferentes comandos? Preciso ter em mãos um plano detalhado com cada passo da implementação, pois precisamos ter certeza de que a produção sofra o menos possível.

Como se percebe pelo tom da mensagem, eu me encontrava num estado de muita tensão e ansiedade, que inclusive me provocou a insônia mencionada no texto. Mesmo com mais de cinquenta anos de vida profissional, eu enfrentaria em abril um desafio que faria qualquer executivo ou empresário tremer, por mais experiente que fosse.

Em questão de minutos, colocaríamos no ar a Operação Plant Storm, que transformaria de maneira radical a estrutura de produção da BRF. Nenhum dos 150 executivos ligados à área passariam incólumes pela mudança. Os que não fossem demitidos participariam de um rodízio de funções. A vice-presidência industrial trocaria de mãos. A decisão começou a tomar forma durante uma reunião na Argentina em fevereiro, e a implementação estava marcada para abril, tempo exíguo para o porte e impacto da operação.

Qual era exatamente o problema? Era o seguinte: na BRF quem mandava de fato era a área industrial. Eles impunham sua visão e produziam aquilo que era mais barato, e não o que os consumidores queriam. Como argumento, diziam que ninguém tinha um custo de produção menor do que a BRF — e era verdade.

Só que isso levava a um ciclo perverso, que terminava em prejuízo. Como esses itens eram fabricados em quantidades maiores do que a demanda de mercado, a empresa oferecia descontos generosos para desovar o estoque. Com isso, a margem de lucro ficava sacrificada. Não fazia sentido. Abilio dizia que, em vez de puxarmos o barbante, nós tentávamos empurrá-lo. Walter Fontana, um dos principais acionistas individuais da companhia, usava uma frase divertida para descrever a situação: "É como se o poste fizesse xixi no cachorro".

Nos primeiros meses, alertei os dirigentes ligados à produção para essa distorção. Não me ouviram — eram pessoas impermeáveis às mudanças. Não sobrou alternativa a não ser intervir de forma ostensiva, ou seja, substituir as pessoas que comandavam as áreas. O risco de mexer nesse estado de coisas era gigantesco. A reviravolta poderia bagunçar a operação das 45 unidades fabris, impactar indiretamente outras fábricas no exterior e mexer com a vida de mais de 80 mil funcionários vinculados à área. Num cenário extremo, a produção seria interrompida, e o abastecimento, prejudicado, derrubando as vendas e a participação de mercado.

Esses possíveis efeitos roubaram meu sono às vésperas da Plant Storm. Por isso, queria estabelecer um roteiro para a implantação das alterações de forma a gerar o menor trauma no dia a dia. "Uma ação desta magnitude precisa de um bom detalhamento para tentar mitigar os efeitos colaterais que ocorrem nos primeiros dias de uma movimentação desta envergadura!", escrevi no e-mail de 9 de fevereiro.

Naquele mesmo domingo em que enviei o e-mail, um pequeno grupo se encontrou para discutir o assunto. Além de Rodrigo Vieira,

Hélio Rubens e Pedro Faria, estava presente Zeca Magalhães, um dos principais representantes do fundo Tarpon e membro do conselho de administração da empresa. Lá começamos a traçar o roteiro da "tempestade" que seria desencadeada em abril.

No Dia D, convoquei o vice-presidente de operações, Nilvo Mittanck, para uma reunião. Eu o informei sobre o teor das mudanças e o avisei que não continuaria no posto, após trinta anos na empresa. Ele havia prestado um inestimável serviço, mas o momento pelo qual passava a empresa exigia outro perfil. Ao mesmo tempo, em outra sala, três executivos eram promovidos a diretores regionais. Fechamos cinco escritórios regionais, eliminando redundâncias que envolviam mais de quinhentos funcionários. Os demais diretores regionais e gerentes de fábrica também sentiram os efeitos da Plant Storm — uns deixaram a companhia; outros foram deslocados para regiões diferentes das que ocupavam. Redesenhada, a estrutura passaria a se reportar diretamente a Hélio Rubens, promovido à vice-presidência industrial.

Nos dias seguintes, entramos no que chamo de gap híbrido. É o período de turbulência que sucede transformações profundas na organização, em que é muito tarde para recuar e muito cedo para avaliar os resultados. Enfrentei isso na Americanas quando fechei as áreas de estoque contíguas às lojas, conforme narrado no capítulo 9. Foi uma transição profunda, dolorosa e tensa para o novo modelo. A envergadura da operação era tamanha que ela se tornou objeto de uma ampla reportagem da revista *Exame*, intitulada "O grupo de Abilio está pondo a BRF de pernas para o ar".

Numa quinta-feira, três dias após o início da implementação da Plant Storm, parti para uma romaria de viagens e visitas aos acionistas e membros do conselho de administração. O objetivo dos encontros era explicar em detalhes a Operação Plant Storm e onde pretendíamos chegar com aquela transformação profunda. Durante o périplo houve conversas tensas, pois alguns de meus interlocutores consideraram o ritmo das mudanças acelerado demais.

A despedida

Quando me despedi da BRF, todos os indicadores da empresa registravam um salto positivo e consistente. Vamos aos principais, sempre tendo como base de comparação o ano de 2012, pouco antes de eu chegar, ao final de 2014, quando deixei a presidência. A receita líquida saiu de 25,9 bilhões para 29 bilhões de reais. O Ebitda saltou de 3 bilhões para 4,7 bilhões de reais, o que representou um colossal reforço do caixa. O endividamento desabou de 7 bilhões para 5 bilhões de reais. O lucro líquido triplicou no período, atingindo 2,22 bilhões de reais. Com tais resultados, o valor de mercado da BRF somou 55,3 bilhões de reais em 2014, um crescimento de 50%.

Ou seja, tratava-se de uma nova empresa, mais sintonizada com o anseio dos consumidores (graças à renovação na mentalidade da área industrial), mais enxuta na estrutura, mais rápida nas decisões e mais forte na operação internacional. Enfim, parte crucial de minha missão estava cumprida. Era preciso, então, avançar na outra frente com a qual eu havia me comprometido: preparar um sucessor para assumir o volante do grupo, um compromisso que assumi e cumpri em todas as companhias em que trabalhei.

Pedro Faria, o jovem que cuidava das operações internacionais, ganhara minha simpatia para a posição. Seu trabalho apresentava bons resultados, e ele gozava de muita confiança de Abilio Diniz e, claro, de Zeca Magalhães, seu sócio na Tarpon. Eu concordava com a escolha do nome, mas achava que tanto a empresa como Pedro se beneficiariam se o processo fosse conduzido em seu devido tempo.

Embora demonstrasse maturidade pessoal e notável talento profissional, Pedro ainda não atingira o estágio de desenvolvimento necessário para pilotar globalmente a BRF. Faltava quilometragem. Pensei em criar um programa de desenvolvimento para prepará-lo. Chamei três executivos para me apoiarem na tarefa. A ideia era que Pedro assumisse a responsabilidade pela área comercial do mercado interno ou, eventualmente, o posto de COO, complementando assim sua boa experiência na área internacional. Dessa forma, teria contatos operacionais mais estreitos com as diversas áreas internas para conhecer a empresa em sua totalidade. Até o término de meu contrato, em março de 2015, ele se subordinaria a mim, e eu atuaria como uma espécie de mentor.

Queria apresentar um plano de ação nesse sentido a Abilio Diniz e ao conselho de administração, para colher sugestões e fazer as mudanças que julgassem necessárias. Quando explanei a ideia para um dos conselheiros, Zeca Magalhães, as coisas se precipitaram. Senti que, para Abilio e Zeca, a ascensão de Pedro deveria acontecer de maneira mais rápida. Fiquei com a impressão de que, passada uma primeira fase de ajustes duros, alguns conselheiros sentiam que era hora de dar uma nova cara à BRF, e que Pedro seria a pessoa certa para isso.

Como nunca tive apego ao poder, fiz questão de sair do caminho — até porque o apoio do conselho de administração é sempre fundamental em reestruturações profundas como a que a BRF vinha vivendo. Mandei um e-mail ao conselho oficializando meu pedido de demissão e explicando por que acreditava nos méritos de uma transição mais suave. No final da mensagem, resumi em uma frase o porquê de minha saída: "Lamento profundamente o que ocorreu, mas prefiro interromper um sonho na raiz a ter que viver um pesadelo na minha gestão".

Fiz questão de permanecer até o fim de 2014, já que abandonar o barco não é do meu feitio. Pedro assumiu em janeiro de 2015, e eu saí feliz com os resultados alcançados em tão pouco tempo. As ações da BRF saíram do patamar de 42 reais quando cheguei para 62 reais na época da despedida. O investidor citado no início do capítulo não tem como negar — cumpri aquilo que havia prometido.

CAPÍTULO 14

BTG Pactual

Na maioria quase absoluta das vezes, crises empresariais nascem discretamente, crescem no silêncio, emitindo um ou outro sinal de existência, e se expõem com toda a força quando já dominaram a estrutura da organização e contaminaram os resultados financeiros. Em 2015, a crise que atingiu em cheio o BTG, ameaçando inclusive sua sobrevivência, não seguiu esse roteiro. Ela se instalou sem aviso prévio e pegou todos de surpresa. No dia 25 de novembro daquele ano, uma quarta-feira, o fundador e um dos principais acionistas da instituição, André Esteves, foi preso em sua casa, acusado de tentar obstruir as investigações da Operação Lava Jato.

A notícia caiu como uma bomba no mercado. André era a "cara" do BTG e se tornara sinônimo de sucesso e empreendedorismo ao vender seu banco, o Pactual, para o UBS em 2006 e, três anos depois, recomprá-lo por um preço menor. Foi quando rebatizou a instituição como BTG Pactual. O novo nome nasceu de uma brincadeira de um dos sócios e significava *Back to The Game*, ou "de volta ao jogo". Com um misto de provocação e ironia, André alimentava a história de que a sigla significava *Better than Goldman* (melhor do que o Goldman), numa referência ao Goldman Sachs, um dos mais tradicionais bancos de investimento do mundo.

O impacto da prisão foi devastador, e houve um princípio de corrida ao banco — fenômeno durante o qual um número grande de clientes saca seus recursos ou transfere para outras instituições, retroalimentando a crise de confiança. As ações despencaram, e em apenas um dia BTG Pactual perdeu 10 bilhões de reais em valor de mercado. Isso pode levar uma companhia financeira à bancarrota e comprometer a confiabilidade de todo o sistema.

O que impediu a quebra do BTG Pactual naquele momento foi a reação imediata, determinada e cirúrgica de um grupo de acionistas. Em um curto período de tempo, eles desenharam (e, mais importante, colocaram em prática) um plano de ação cujo objetivo foi passar a seguinte mensagem ao mercado e às autoridades monetárias: temos a situação sob controle e estamos tomando as medidas necessárias para garantir a liquidez do banco. Foi uma aula de administração de crises como poucas vezes presenciei e participei — e, modéstia à parte, eu entendo do assunto.

No dia da prisão, eu me encontrava fora do país e só soube do ocorrido horas depois. Assim que me inteirei do assunto, escrevi uma mensagem para André. Como ele não podia acessar e-mails, pedi a Iuri Rapoport, um dos sócios e advogado do BTG, que a transmitisse. Em momentos como esses, os "amigos" somem.

> Meu bom amigo André,
> Quero começar com aquele abraço e beijo com o qual sempre nos cumprimentamos ao nos encontrar. Só que desta vez eu quero que seja bem mais apertado e demorado este abraço (o beijo já está de bom tamanho, kkkkk).
> Poderia me estender, mas prefiro me limitar a dizer conte comigo.
> Com carinho e amizade,
> Claudio

Como demonstra o e-mail, meu relacionamento com André era — e continua sendo — fraternal, resultado de uma convivência iniciada em meados de 2010, quando ele me convidou para tomar um café da manhã com a presença de outro sócio do BTG, Pérsio Arida.

Um dos principais idealizadores do Plano Real, Pérsio carregava no currículo uma vistosa carreira acadêmica e pública, que incluía, por exemplo, passagens pela presidência do BNDES e do Banco Central.

A princípio pensei que fosse uma conversa apenas de relacionamento, informal, mas eles me convidaram para me juntar ao banco. Eu havia saído do Grupo Pão de Açúcar em março daquele ano e, portanto, nada me impedia de aceitar um novo desafio. Por outro lado, ponderei a meus dois interlocutores que eu nada entendia do setor financeiro e bancário. Meu negócio é recuperar empresas atingidas por crises severas ou que necessitam de melhorias de performance.

André e Pérsio não levaram em conta as advertências sobre meus parcos conhecimentos, porque sua ideia era que eu assumisse uma função específica, sem vínculos diretos com a atividade bancária: participar das avaliações e negociações para adquirir negócios fora do setor financeiro, atividade conhecida como *merchant bank*.

Nos anos anteriores e posteriores à minha chegada, o portfólio do *merchant bank* do BTG chegou a ter participação no capital de mais de uma dezena de companhias, como BR Pharma, BR Properties, Mitsubishi do Brasil, Rede D'Or, Estapar, CPFL e Sete Brasil. A equipe do *merchant bank*, além de assumir o papel de acionistas financeiros, também interferia diretamente na operação. O objetivo era aprimorar a gestão das empresas de forma a valorizá-las e, depois de um tempo, passá-las adiante com boa margem de lucro. Enfim, a operação típica de um fundo de *private equity*, o que implica navegar pela economia real e pela reestruturação de empresas — e nesse mar eu navego bem. Então concluí que me sentiria confortável na função.

Segundo o acerto com André e Pérsio, eu arremataria um lote de ações do BTG e integraria o time de comando da área de *merchant bank*. Participaria da avaliação das empresas visadas e coordenaria a gestão delas se fossem de fato adquiridas. A economia brasileira "bombava" naquele momento. Meus colegas da área, e o próprio André, estavam entusiasmados com as oportunidades que surgiam na chamada "economia real" e fechavam uma série de negócios em incrível velocidade. Com minha larga experiência na economia real, que me deixou boas memórias e algumas cicatrizes, não conseguia compartilhar daquele entusiasmo todo e acabei me tornando um peixe fora d'água — o que não impedia que eu me envolvesse ativamente nas atividades, inclusive nos *road shows*, como eram chamadas as apresentações para atrair investidores.

Há décadas vejo fundos de *private equity* e *merchant banks* cometerem com frequência um erro: levar para dentro da empresa adquirida a visão e o modelo de gestão do setor financeiro. Por exemplo: buscam executivos seniores para tocar o negócio oferecendo salários baixos e, em contrapartida, acenam com a perspectiva de uma parcela polpuda dos lucros. No universo financeiro, essa é uma prática comum, que funciona bem, pois os resultados aparecem rapidamente. Além disso, na maioria das vezes, as equipes são formadas por jovens brilhantes, mas sem a experiência necessária na gestão de empresas da economia real. Em outras atividades, como indústria e varejo, essa estratégia não se aplica. O retorno não é imediato, e um profissional com menos de quarenta anos com uma trajetória consolidada não abdicará de seu salário para fazer uma aposta desse tipo. Afinal, não tem um patrimônio que lhe permita correr riscos de tal dimensão, e na maioria dos casos já se habituou com um padrão de vida do qual não está disposto a abrir mão.

Outro tropeço comum aos fundos de *private equity* é que, tão logo assumem o controle de um novo negócio, despacham para lá os recém-contratados em início de carreira. Apesar de inteligentes e donos de uma excelente formação acadêmica, com diploma de MBA debaixo do braço e com o arrojo típico da juventude, falta a esses profissionais a maturidade que só o tempo traz. Em geral, apresentam ideias criativas e saídas inteligentes para os entraves que as companhias enfrentam, mas tropeçam na hora da implementação, pois não têm experiência e conhecimento das engrenagens. Em setores mais tradicionais da economia, como varejo e indústria, a execução do planejamento é mais complexa do que no setor financeiro. No varejo, por exemplo, há questões como distribuição, logística, pontos de venda, relacionamento com o consumidor final, entre outras inúmeras variáveis, e os resultados aparecem a médio e longo prazos.

Isso sem contar que, muitas vezes, o desembarque desses jovens assemelha-se a uma intervenção. Em geral eles não têm habilidade para conduzir as conversas com os antigos controladores e executivos, normalmente pessoas bem mais velhas, respeitadas em suas comunidades e conhecedoras do ramo. De uma hora para outra aparece um grupo de garotos, com pose de sabe-tudo, querendo impor novas regras como se dissessem: "Chegamos aqui para salvar esta empresa". Os antigos controladores e dirigentes se sentem alijados dos processos decisórios. Logo, ficam muito irritados, provocando desgastes e confrontos. Diante da atitude imperial e da arrogância dos recém-chegados, instala-se um clima de insatisfação na empresa, o que afeta o funcionamento da organização e tira o apoio necessário para a virada nos negócios.

Por um lado, o arrojo do BTG na economia real rendeu bons negócios, com retornos bilionários. O maior deles foi a compra de uma participação na Rede D'Or de hospitais — que, como veremos, acabou sendo providencial durante a crise de 2015. Por outro, algumas operações resultaram em problemas de enorme complexidade, como aconteceu com a rede de drogarias BR Pharma, que acabou pedindo recuperação judicial, a Leader, a Estre e a Sete.

Em 2012, cerca de dois anos depois do café da manhã com André Esteves e Pérsio Arida, senti que no *merchant bank* do BTG a visão do mercado financeiro predominava sobre os princípios de gestão da economia real. Já havia dado minha contribuição para a área, e estava na hora de interromper a experiência no setor financeiro. Ao tomar conhecimento de minha decisão, André Esteves tentou me dissuadir da ideia. Eu me mantive irredutível. Quando ele percebeu que não me convenceria, disse: "O.k., mas fica como membro do conselho de administração".

Dias depois, deixei as funções executivas do banco e vendi a quase totalidade de minha participação acionária, como exigiam as regras internas — fiquei somente com uma fatia residual das ações. Ao mesmo tempo, aceitei a gentil proposta de permanecer como conselheiro. Concluí que, dessa forma, poderia contribuir com minha experiência e, de quebra, continuar em contato com aquele grupo de pessoas tão fora da curva. E foi como conselheiro que, aos 75 anos e mais de meio século de vida profissional, participei de um dos mais bem-sucedidos processos de gestão de crise da história do país.

Pente-fino nas operações do BTG

No dia seguinte à prisão de André, procurei Roberto Sallouti, um dos principais acionistas do banco, e reforcei minha solidariedade e meu compromisso com o BTG. "Estou aqui para ajudar", disse a ele durante uma conversa. Sallouti me sugeriu que fosse "imediatamente para dentro do banco", ou seja, me envolvesse com o dia a dia de enfrentamento da crise que se instalara. Num gesto de forte significado simbólico, ele pediu que eu sentasse ao lado de Pérsio Arida. Era um sinal de credibilidade, tanto para os funcionários como para o público externo. Aceitei sem pestanejar. A partir dali, participei de um impressionante rali para estancar a sangria de dinheiro e de confiança no futuro da instituição.

A situação era dramática e, em questão de horas, o banco anunciou as medidas para garantir sua liquidez. Pérsio Arida foi nomeado presidente do conselho de administração, enquanto Sallouti e Marcelo Kalim, outro importante sócio, ocupariam a copresidência operacional. André acertou com os outros sete principais acionistas uma permuta de suas ações com direito a voto por ações preferenciais, sem poder de voto. Assim, o fundador do BTG deixou o grupo de controle da organização.

Ao mesmo tempo, o banco desenhou uma estratégia para se desfazer de ativos e, assim, capitalizar o banco e reforçar o caixa. A implementação desse plano se estendeu pelos meses seguintes. De cara, o BTG vendeu sua participação na rede de hospitais D'Or São Luiz por 2,38 bilhões de reais. O Itaú Unibanco, por sua vez, adquiriu a Recovery, especializada na recuperação de créditos duvidosos, por 650 milhões de reais — um refresco para o caixa duramente castigado pela fuga de recursos dos clientes. Dias depois de a crise estourar, o BTG anunciou que o Fundo Garantidor de Crédito, uma entidade privada mantida pelos bancos brasileiros, havia liberado uma linha de assistência financeira de 6 bilhões de reais, garantida pelo patrimônio pessoal dos sócios majoritários. Era uma espécie de cheque especial, e só seria utilizado em caso de necessidade. O BTG também se desfez do banco suíço BSI, arrematado pelo conterrâneo EFG International AG.

Dentro de casa, a ordem foi apertar o cinto. Dos 1700 funcionários, 305 perderam seus empregos, ou 18% do quadro. Os custos totais foram reduzidos em 25%. Todas essas medidas foram amplamente divulgadas ao mercado, para demonstrar agilidade nas decisões e reforço à estabilização financeira da instituição. Mas havia um trabalho interno silencioso a ser feito com o objetivo de evitar a propagação de informações distorcidas e atitudes que piorariam o clima de insegurança comum a situações de crise aguda como aquela. Eu, por exemplo, agi para apagar um foco de incêndio no próprio conselho de administração.

Em certo momento, notei uma estranha movimentação de três conselheiros independentes. Assustados com a repercussão da prisão de André, o trio planejava renunciar às suas funções de forma abrupta no momento mais crítico da crise, justamente quando o banco precisava transmitir uma imagem de união e confiança da equipe interna. Todos eram estrangeiros e, por isso, enviei para eles uma mensagem dura, em inglês, cobrando transparência e coragem:

> Primeiramente, como membro do conselho, eu gostaria de entender por que fui excluído das muitas conversas que aparentemente ocorreram entre vocês, resultando no fato de que três dos membros independentes estão submetendo sua renúncia, ou vão submeter, ao conselho antes do final do ano?

Eles nem se deram ao trabalho de responder. Os três efetivamente deixaram o conselho. Apenas eu e Mark Maletz continuamos como conselheiros independentes. E nessa condição nos coube uma das tarefas mais delicadas no enfrentamento da crise no BTG.

Desde o dia 25 de novembro de 2015, quando o país amanheceu com a notícia da prisão de André, uma pergunta pairava no ar: o banco poderia ser surpreendido por alguma outra denúncia? Para debelar qualquer dúvida a esse respeito, e também proteger o banco, tomamos uma atitude corajosa. Um comitê formado por membros do conselho de administração, mas com total autonomia, conduziria uma investigação interna ampla, profunda, detalhada.

A primeira providência foi justamente divulgar ao público essa iniciativa e o compromisso com a liberdade de ação do grupo, expresso de forma clara no comunicado distribuído pelo banco: "Os membros do Conselho de Administração não irão impor limites à autoridade desse comitê em investigar esses temas e todo tema relacionado que entenda apropriado".

Mark Maletz assumiu a coordenação do comitê, e eu fui convocado para me integrar ao grupo. Contratamos um escritório de advocacia norte-americano, o Quinn Emanuel Urquhart & Sullivan, uma das mais prestigiosas bancas de advogados dos Estados Unidos, reconhecida também por sua especialização em *compliance*, ou seja, verificar se as práticas internas de uma companhia estão em conformidade com a legislação e os regulamentos internos. Por sua vez, o pessoal do Quinn firmou uma parceria com um escritório brasileiro, o Veirano Advogados. A KPMG, uma das maiores firmas de auditoria do mundo, também entrou no jogo.

A partir daí, passamos um pente-fino em tudo que pudesse gerar qualquer tipo de questionamento legal ao banco. A filosofia era a seguinte: qualquer sinal de fumaça seria investigado minuciosamente. Fizemos também uma varredura em todo o sistema de informática para identificar qualquer menção a centenas de nomes envolvidos nos escândalos da Operação Lava Jato.

E, de fato, encontramos alguns pontos que demandaram análise mais profunda. A filha de um dos mais poderosos políticos do país era funcionária do banco. Nossas averiguações indicaram que nada havia de errado, pois seu perfil, com uma formação acadêmica sólida e domínio de diversos idiomas (até o mandarim), era coerente com a posição que ocupava. O processo de seleção e contratação também respeitara todas as normas internas. Deparamos também pagamentos feitos ao Instituto Lula. Além de todos os recibos em ordem, havia farto material de documentação — inclusive fotos — das palestras dadas pelo ex-presidente para clientes e funcionários, devidamente remuneradas. Nessa mesma linha, havia valores semelhantes pagos ao Instituto FHC, também comprovados por documentos e imagens.

Um grupo de cinquenta dos principais executivos do banco foi chamado para entrevistas com os representantes do Quinn e do Veirano. Mais de vinte advogados bilíngues participaram desse processo. Muitos deles haviam sido promotores, então os questionamentos sempre eram muito rigorosos. Só na primeira fase, quase 2 milhões de documentos foram pesquisados, com base em palavras-chave. Um piolho não passaria despercebido.

Em abril de 2016, quatro meses depois de iniciados os trabalhos, convidamos a imprensa para apresentar os resultados da sindicância. Com larga experiência nesse tipo de ação, William Burck, sócio da Quinn, resumiu a conclusão: "É muito pouco usual olhar tudo que olhamos, no escopo que olhamos, e chegar à conclusão de que nenhuma das alegações aconteceu. Em uma situação típica, você costuma achar que algo tenha acontecido, o que não foi o caso aqui", disse ele aos jornalistas. Ou seja, tudo limpo, sem evidências de práticas ilícitas ou irregularidades. Pouco mais de duas semanas depois, André Esteves, liberado pela Justiça, voltou a trabalhar no BTG como sócio sênior.

Qual o saldo em minha opinião? André e seus sócios construíram uma história de sucesso indiscutível. Em poucos anos, ergueram um dos maiores bancos do mercado brasileiro. Com a crise deflagrada pela prisão, sentiram o gosto amargo da derrota. O banco encolheu, perdeu clientes, mas recuperou boa parte deles, voltou a crescer e conseguiu preservar a saúde financeira, graças à determinação, ousadia e agilidade de um time do qual orgulhosamente fiz parte. Menos de três anos depois de sua detenção, André foi inocentado da acusação de obstrução da Justiça, o que mostra que a prisão foi uma medida precipitada. Dessa vez, não enviei e-mail nenhum. Não era necessário. Nos bons momentos, sempre aparece muita gente para comemorar. No fim, saímos dessa fase mais vigorosos do que antes, porque, afinal, tudo aquilo que nos ameaça também nos fortalece.

EPÍLOGO

Vá onde ninguém nunca foi antes. Ou onde ninguém mais irá hoje. Você pode ir procurar as respostas da vida ou encontrar novas questões. Você pode descobrir alguma coisa nova em algum lugar do mundo. Ou conhecer algo inesperado longe ou perto de casa. Às vezes, você pode olhar para o passado para ver como chegou aqui. E onde poderá estar lá na frente. E quando pensar que sua jornada está chegando ao fim, ficará surpreso ao descobrir que ela está apenas começando.

O texto acima é uma peça publicitária da emissora de tevê norte-americana CNN sobre a filosofia que orienta seu trabalho jornalístico. Basta digitar "CNN. Go there" no YouTube para assistir ao vídeo.

Eu me identifico muito com esses princípios, pois, de certa forma, resumem o espírito que conduziu minha vida — a inquietação positiva que carrego desde o início da carreira profissional, a busca incessante por novos desafios. Por isso, e também pela natureza de minha atividade, raramente minha permanência nas empresas vai além de dois a três anos, o que me proporcionou uma vivência ampla, rica e diversificada.

O que une todas essas experiências? É um propósito. Isso não muda. É sempre o mesmo, seja trabalhando em uma mineradora nos rincões da Amazônia, seja sentado à mesa do conselho de administração de um banco na avenida Faria Lima, em São Paulo. O que tenho em mente, em qualquer uma dessas situações, é buscar a melhoria na gestão empresarial, o que é importante para os empresários, para os trabalhadores, para a sociedade e para o país.

Todos os brasileiros desejam viver num país desenvolvido, íntegro e com boas condições de vida. Esse também é meu sonho. Como mostram inúmeros exemplos ao longo da história, não há desenvolvimento sem uma economia vigorosa e dinâmica. E isso requer empresas com as finanças saudáveis e eficientes em sua operação. É dessa forma que geram empregos bem remunerados, pagam impostos e ganham capacidade de investimento na expansão e na inovação de seus produtos e serviços — enfim, agregam valor ao país em benefício de todos. É a isso que me dedico há mais de 55 anos, desde 1961, quando comecei a trabalhar como vendedor na Drew Chemical.

Estudos indicam que cerca de 90% dos grupos empresariais brasileiros se encontram em um patamar chamado de *under performance*, ou seja, abaixo do potencial de desempenho que demonstram. As empresas brasileiras têm um enorme espaço a conquistar no campo da produtividade e da eficiência, aprimorando sua gestão, estabelecendo processos mais ágeis e menos burocráticos, reduzindo custos e mantendo-os sob controle. Se eliminarem parte das deficiências, todos ganharão.

É esse objetivo que persigo ao implementar planos de reestruturação, *turnaround* e transformação. E assim contribuo para uma sociedade melhor, mais justa e mais íntegra. Esse sonho me moveu quando montei um negócio, a Armaq, e o vi quebrar por não abrir mão de princípios éticos desenvolvidos desde minha infância por influência de minha mãe e de meu padrasto. Não me arrependi em seguir essa trilha, mesmo quando me vi sufocado por dívidas que pareciam impagáveis e comprometiam o padrão de vida de minha própria família.

Eu não percebi na época, mas essa crise moldou o profissional que me tornei. Naquele período, desenvolvi as habilidades que me permitiram conduzir processos de recuperação e transformação de empresas nas décadas seguintes. Acredito que as experiências descritas aqui possam ajudar outros empresários e executivos a tornarem suas empresas mais eficazes e distantes da acomodação — e foi daí que veio a motivação para este livro.

Na Armaq, senti na própria pele o tamanho da dor de um empresário que vê a sobrevivência de sua companhia ameaçada. Também compreendi os mecanismos que inconscientemente utilizam para ignorar as reais origens da crise e negar a gravidade dos problemas. Da mesma forma, aprendi a identificar as resistências a qualquer processo de mudança e, em especial, como enfrentá-las e superá-las.

Não há como ser bem-sucedido nessas empreitadas sem trabalho em equipe e liderança. Aliás, um não vive sem a outra. Quando começo a trabalhar numa empresa, costumo dizer ao meu time: "Você vai trabalhar como nunca, e eu vou levar os créditos". A frase é espirituosa e provocativa, mas nem por isso menos verdadeira. Acredito no trabalho em equipe — aliás, não há outro caminho. E como conseguir o envolvimento e comprometimento de seu pessoal? Um líder deve estabelecer as metas, dar condições para que sejam alcançadas e cobrar os resultados. Enfim, dar autonomia. Isso motiva as pessoas. Por outro lado, é preciso estar sempre disponível para dar orientações ou suporte nas decisões.

O líder deve ouvir muito e falar apenas o necessário. Gosto de contar um caso atribuído ao escritor americano Ernest Hemingway. Diz a lenda que, desafiado a contar uma história triste com apenas seis palavras, ele teria escrito: *"For sale. Baby shoes. Never worn"* ["À venda. Sapatos de bebê. Nunca usados"]. Sempre admirei a capacidade de síntese e precisão. Sempre repito essa história para minhas equipes, mostrando como a objetividade melhora a produtividade, dá agilidade às decisões e torna a comunicação mais fluida.

É importante também que a equipe perceba a dedicação de quem está no comando — meu expediente, em geral, se estendia por doze a catorze horas diárias e, não raro, eu comparecia ao escritório aos fins de semana. Era como se eu passasse a seguinte mensagem: "O esforço é grande, mas estou junto de vocês, remando o mesmo barco".

O envolvimento profundo com o trabalho gera outro enorme desafio: conciliar a carreira e a vida pessoal, garantindo que a família sempre se mantenha como prioridade absoluta. O momento que não foi passado com a mulher e com os filhos jamais será recuperado. É preciso estar disponível para se envolver intensamente com suas alegrias e suas angústias. Não só porque o distanciamento das pessoas queridas rouba nosso equilíbrio para superar os desafios do mundo corporativo — o convívio intenso com a família é uma dádiva que não podemos ignorar. Esse é o princípio de tudo — e também o objetivo que deve ser perseguido sem cessar.

CRÉDITOS DAS IMAGENS

pp. 125, 126, 127, 129 (acima): Acervo pessoal Claudio Galeazzi

p. 128 (acima à esquerda): Regis Filho/ Abril Comunicações S.A.; (acima à direita): Sergio Berezovski/ Abril Comunicações S.A.; (abaixo): Helvio Romero/CPDoc JB

p. 129 (abaixo): Germano Luders/ Abril Comunicações S.A.

TIPOGRAFIA Arnhem Blond
DIAGRAMAÇÃO acomte
PAPEL Pólen, Suzano S.A.
IMPRESSÃO Gráfica Paym, julho de 2025

A marca FSC® é a garantia de que a madeira utilizada na fabricação do papel deste livro provém de florestas que foram gerenciadas de maneira ambientalmente correta, socialmente justa e economicamente viável, além de outras fontes de origem controlada.